A1

1

Méthode de français

D. ABRY

C. FERT

C. PARPETTE

J. STAUBER

M. SORIA / S. BORG

D1529753

CLE
INTERNATIONAL

www.cle-inter.com

Présentation

Une méthode en alternance

Ici est une méthode destinée aux publics adultes et grands adolescents de niveau débutant de toutes nationalités qui apprennent le français **dans un environnement français ou francophone**. C'est ce cadre particulier d'apprentissage qui fait l'originalité de cette méthode. Celle-ci repose en effet sur la combinaison entre **apprentissage en classe et apprentissage hors de la classe** au contact de situations et de locuteurs français ou francophones. Les activités extérieures à la classe occupent une place à part entière, et constituent des séquences de travail au même titre que les activités se déroulant dans la classe. Cette alternance permet de se placer systématiquement dans une perspective **actionnelle et interculturelle**.

La méthode vise l'acquisition des savoir-faire communicatifs, des savoirs culturels et des compétences définies dans le Cadre européen commun de référence. Il prépare à la certification du niveau A1.

Ici est construite sur la découverte progressive, du cadre de vie des élèves en milieu **français ou francophone** : d'abord, la classe, le centre de langue, puis les rues, les quartiers, les commerces, enfin, la vie quotidienne des gens, leurs loisirs et leurs repères culturels.
Elle est constituée de six dossiers thématiques, chacun se découpant en trois phases :

- **A.** l'apprentissage guidé en classe, avec *le livre de l'élève et le cahier d'exercices* ;
- **B.** les activités de découvertes culturelles dans le milieu francophone, hors de la classe, guidées par le *fichier « Découvertes »* ;
- **C.** le retour d'enquête et la mise en commun, en classe, des informations recueillies et des connaissances acquises.

Nous remercions les étudiants des cours intensifs du Centre Universitaire d'Études Françaises de l'Université Stendhal de Grenoble 3, ceux du Centre International d'Études Françaises de l'Université Lyon 2 et ceux de l'Université Catholique de Lyon pour avoir accepté d'expérimenter la méthode *ICI* avec beaucoup d'enthousiasme.
Nous remercions chaleureusement l'Alliance Française de Paris, sa directrice Pascale Fabre, la responsable du centre de ressources multimédia Flore Bénard de nous avoir accueillis pour les séances photos. Un grand merci à tous les étudiants qui apparaissent dans *ICI*.

Direction éditoriale : Michèle Grandmangin-Vainseine
Édition : Virginie Poitrasson
Conception graphique/maquette : ICI Design
Mise en pages : Laure Gros

Iconographie : Clémence Zagorski
Photographie : Jean-Pierre Degas
Illustrations : Eugène Collilieux
Cartographie : Graffito/ Jean-Pierre Crivellari/ Cyril Duballet

© CLE International/SEJER – Paris 2007
ISBN : 9782090353037

Mode d'emploi

A] Apprentissage en classe (Livre de l'élève)

L'apprentissage dans la classe est fondé sur les principes de l'approche communicative. La réalisation des activités implique des interactions fréquentes entre les élèves sous forme d'échanges d'informations et de concertation. Chacun des dossiers thématiques du livre de l'élève est constitué de cinq parties représentant une progression vers une pratique de la langue de plus en plus autonome.

1. découvrir (2 pages)

L'élève découvre le thème de l'unité à travers une activité de reconnaissance, de description ou de récit.

2. analyser et pratiquer (6 pages)

L'élève acquiert des outils linguistiques.
À partir de discours oraux et écrits, il réfléchit sur des faits de **grammaire**, il déduit des règles. Il découvre le **lexique** à travers des mises en relation avec des sons, des photos, et à travers des énoncés en contexte. Il met en œuvre tous ces outils lors d'activités variées de compréhension et d'expression.

Il s'initie à la **prononciation** du français (phonèmes et prosodie) à travers des exercices de discrimination, de répétition, et des jeux de mise en voix. Il réfléchit sur la relation entre prononciation et graphie.

3. communiquer (2 pages)

Les supports d'apprentissage mettent en scène des situations réelles liées à la thématique de l'unité. Les interactions s'insèrent dans ces situations : jeux de rôles pour les interactions dans les commerces, récits de souvenirs d'enfance pour les fêtes et les traditions, négociation d'emplois du temps pour la vie quotidienne, etc.

4. vivre en français (2 pages)

Cette partie met l'accent sur des faits culturels, comportements et des modes de vie, autour desquels se construisent des commentaires et des comparaisons interculturelles.

5. à lire à dire (2 pages)

Les élèves mettent en voix ou miment des textes poétiques, illustrent des chansons, créent des textes ludiques.

6. bilan (1 page)

À l'issue de chaque unité, une évaluation dans les quatre compétences permet à l'élève de récapituler ses acquis. À la fin de l'apprentissage, une épreuve de préparation au DELF A1 est proposée.

Les contenus de ces dossiers sont repris et complétés par le cahier d'exercices qui en suit la progression.

B] Apprentissage hors de la classe (Fichier « *Découvertes* »)

L'apprentissage en classe se fait en alternance avec des *tâches de découverte* du milieu environnant. Celles-ci constituent à la fois une mise en œuvre des acquis de la classe et un apport culturel et linguistique qui vient enrichir les contenus du manuel.

Les tâches et enquêtes langagières, thématiquement reliées à chaque dossier du livre de l'élève, vont de l'observation simple aux interactions de plus en plus libres avec des locuteurs natifs. Il est par exemple demandé aux élèves :

• pour les salutations, de se rendre dans une gare à l'arrivée des trains et d'**observer** comment les gens se saluent, quels gestes ils font, quelles expressions ils utilisent ;

• pour la découverte de la vie quotidienne, de se rendre chez un étudiant francophone et de **discuter** avec lui de ses conditions de logement.

Tâche à réaliser —

Espace d'écriture —

Expression idiomatique
liée au thème
de l'enquête

Tâche d'écriture

Aides diverses pour
la tâche (dessins,
lexique, questions…)

Espace d'écriture

Confrontés au milieu réel, les élèves peuvent mesurer, leurs acquis, leur progression, leurs besoins, ce qui les met en situation d'**évaluation formative**.
Par ailleurs, les *tâches de découverte* regroupent l'essentiel des activités d'expression écrite. Grâce à la mise en situation, les productions écrites sont plus impliquées et plus personnelles. C'est ainsi que tout au long de sa formation, l'élève rédige, entre autres, un *Journal de vie* qui constitue le carnet de voyage de son apprentissage du français.

C] Retour d'enquêtes – Partage d'expériences

Les *tâches de découverte* sont suivies d'une mise en commun dans la classe au cours de laquelle les élèves échangent autour de leurs expériences respectives, rendent compte des informations recueillies, montrent des objets-témoins, témoignent de leur ressenti personnel et recensent les nouveaux outils linguistiques rencontrés. Cette partie de l'apprentissage constitue l'apport personnel des élèves aux contenus de la méthode. La découverte du milieu enrichit l'apprentissage de manière chaque fois différente selon les lieux découverts, les gens rencontrés, en bref selon l'*Ici* de chaque groupe.

Á la fin du livre, on trouvera :
• **un lexique créatif** : pour chaque unité, une trentaine de termes sont sélectionnés en fonction de leur fréquence, leur construction, leur possibilité de collocation. Pour chacun de ces termes, l'élève peut écrire des phrases, trouver des synonymes ou des antonymes, constituer des listes thématiques, trouver une illustration, etc. C'est une manière d'évaluer ses acquis lexicaux, et de les renforcer.
• **un portfolio** : tout au long de l'apprentissage, l'élève fait le bilan de ses capacités langagières, et récapitule les savoirs et savoir-faire socio-culturels acquis en classe et hors de la classe.

• **des outils complémentaires** : précis grammatical, tableau de conjugaisons, précis de phonétique-graphie, transcriptions des documents oraux, corrigés des exercices.
• **un tableau des contenus.**

Ce matériel pédagogique est prévu pour 70 à 80 heures d'activités en classe pour une période moyenne de 6 à 8 semaines.
Il est composé :
• d'un livre de l'élève + CD audio
• de deux CD audio pour la classe
• d'un cahier d'exercices + CD audio et un fichier « Découvertes »
• d'un guide pédagogique.

à la découverte de la France et de la **francophonie**

1] **Les symboles**

👁 *Observez.*

La devise de la France / Marianne

La laïcité, une valeur française

Caricature de Plantu

La devise du Québec

La Marseillaise

La Déclaration des droits de l'homme et du citoyen

Activité FD 4

2] Les Français d'ici et d'ailleurs

👁️ *Observez cette photo de l'équipe de France de football « black, blanc, beur ».*
La France est un pays multiculturel. D'où viennent les joueurs de l'équipe de France ?
Cherchez sur la carte de la francophonie.

Coupet, né au Puy-en-Velay

Zidane, né à Marseille, d'origine algérienne

Gallas, né à Asnières, d'origine guadeloupéenne

Réveillère, né à Doué-la-Fontaine

Thuram, né en Guadeloupe

Dhorasoo, né à Harfleur, d'origine indo-mauricienne

Boumsong, né au Cameroun

Wiltord, né à Neuilly-sur-Marne, d'origine guadeloupéenne

Vieira, né au Sénégal

Makelele, né au Congo (RDC)

Malouda, né en Guyane

à la découverte de la **classe**

découvrir

1] Quelles langues ?

a) 🎧 *Écoutez.*

Buongiorno

早上好

Guten tag

Good morning

Buenos días

Γεια σας

صباح الخير

おはよう

בוקר טוב

b) **🎧 Écoutez encore.**
Quelles langues ressemblent au français
à l'oral et à l'écrit ?

L'italien	=	=	Le grec
Le chinois	≠	≠	L'arabe
L'anglais			Le japonais
L'allemand			L'hébreu
L'espagnol			

c) **👁 Observez la carte de la francophonie.**
Associez le pays à une ou des langue(s).

Exemple : la France ➡ le français

la Suisse, la Belgique, le Canada, la Côte d'Ivoire

d) **👁 Observez la photo de l'équipe**
de France de football page 7
et continuez la liste des pays
où on parle français.

e) **👄 Dites à la classe quelle(s)**
langue(s) vous parlez.

Exemple : Quelle(s) langue(s) vous
parlez ? ➡ Je parle arabe.

➤ PG 17

2] L'alphabet

a) **🎧 Écoutez et répétez l'alphabet de la francophonie.**

A	comme **A**bidjan		**N**	comme **N**ouméa
B	comme **B**eyrouth		**O**	comme **O**ran
C	comme **C**ayenne		**P**	comme **P**ort-au-Prince
D	comme **D**akar		**Q**	comme **Q**uébec
E	comme **E**ssaouira		**R**	comme **R**abat
F	comme **F**ort-de-France		**S**	comme **S**aint-Pierre et Miquelon
G	comme **G**enève		**T**	comme **T**unis
H	comme **H**anoi		**U**	comme H**u**é
I	comme les **î**les Marquises		**V**	comme **V**ientiane
J	comme **J**oliette		**W**	comme **W**allis-et-Futuna
K	comme les îles **K**erguelen		**X**	comme Lu**x**embourg
L	comme **L**iège		**Y**	comme **Y**aoundé
M	comme **M**ayotte		**Z**	comme Ti**z**i Ouzou

b) **🎧 Écoutez l'alphabet seul et répétez.**

3] Les prénoms de la classe

a) **👄 Dites votre prénom.**

Exemple : Je m'appelle Paul.

b) **👄 Épelez votre prénom.**

Exemple : EMMA ➡ E-2M-A

Activités CE 1a, 1b

analyser et **p**ratiquer

4] Se saluer

a) 👁 *Observez les photos.*

b) 🎧 *Écoutez les dialogues.*

Dialogue 1

ALEXIA : C'est fini ! Le groupe est sympathique. Il y a 8 nationalités différentes.

DIMITRI : Oui, super ! Et le professeur, quel dynamisme !

ALEXIA : À demain Dimitri.

DIMITRI : Bonne soirée Alexia !

Dialogue 2

EVELYNE : Salut Gianni ! Tu vas bien ?

GIANNI : Ah ! Bonjour Evelyne. Oui, ça va et toi ?

EVELYNE : Ça va. Tu peux me téléphoner demain ?

GIANNI : Pas de problème, bonne après-midi !

EVELYNE : Salut !

Dialogue 3

NELSON : Bonjour Madame, c'est pour ma carte d'étudiant, s'il vous plaît.

LA SECRÉTAIRE : Oui... bonjour. Vous vous appelez comment ?

NELSON : Nelson Valentino Gomez. Je suis colombien.

LA SECRÉTAIRE : Voici votre carte, Monsieur.

NELSON : Merci Madame.

LA SECRÉTAIRE : Je vous en prie ! Au revoir, bonne journée !

NELSON : Au revoir Madame.

Dialogue 4

JEAN : Salut Maria.

MARIA : Bonjour Jean. Ça va ?

JEAN : Oui, et toi ? Pas trop fatiguée ?

MARIA : Non, ça va bien, merci.

Dialogue 5

YA : Bonjour Madame Moulin. Vous allez bien ?

MADAME MOULIN : Bonjour Ya, ça ne va pas très bien. Merci pour la porte !

YA : De rien.

Activité CE 10

c) *Quelle photo correspond à chaque dialogue ?*

D1	D2	D3	D4	D5
E				

d) 🎧 *Écoutez encore les dialogues.*
Quelle est la relation entre les personnes ?
Complétez le tableau.

	Relation informelle	Relation formelle
D1	X	
D2		
D3		
D4		
D5		

Relation informelle → *TU*

On dit *tu* :
– entre amis
– en famille

Relation formelle → *VOUS*

On dit *vous* :
– entre deux personnes qui ne se connaissent pas
– avec une personne plus âgée
– au travail, avec un supérieur hiérarchique

Quel, quelle, quels, quelles ?

• **Quel(s) pays ?**
• **Quelle(s) langue(s) ?**

Tu parles quelles langues ?

e) 🎧 *Écoutez, lisez et répétez.*

• **Remercier :**

Merci !

Merci bien !

Merci beaucoup !

• **Répondre aux remerciements :**

Je vous en prie !

De rien !

Pas de quoi !

f) 🎧 *Écoutez l'intonation. Question ou déclaration*
(affirmative/négative) ?

Exemple : Ça va ?

	Question	Déclaration
1	X	
2		
3		
4		
5		
6		
7		

▶ PG 17   Activité CE 2

g) 👄 *Jouez un des cinq dialogues*
de la page 10 avec votre voisin(e).

5] Les mots de la classe

a) 👁 *Observez les dessins.*

b) 🎧 *Écoutez et comprenez les mots du professeur.*

1 2 3 4 5 6 7 8 9 10

c) 🎧 *Écoutez. Dans quel ordre entendez-vous ces phrases ?*

d) 👄 *Répétez ces phrases.*

6] Se présenter

a) 🎧 *Écoutez le dialogue.*

LE PRÉSENTATEUR :

« Aujourd'hui, nous sommes à Bruxelles. C'est un *Questions pour un champion* sur la langue française. Les 10 candidats sont tous étrangers, ils étudient le français. Mademoiselle....vous êtes... ?

TATIANA : Russe, je suis russe... et je m'appelle Tatiana. »

b) *Complétez la nationalité des candidats dans le tableau.*

chinois – australien – espagnol – chilienne – américain – mexicaine – espagnole – suédoise – belge

Quelle langue parlent-ils ?

	Il/elle est	Il/elle parle
Tatiana	russe	le russe
Ana		
Nick		
Milena		
Hao		
Steve		
Cristina		
Frida		
Javier		
Yves		

c) 👄 *Que remarquez-vous ?*

– les nationalités (masculin/féminin) : _____
– les langues : _____

> PG 4

d) 👄 *Quelles sont les nationalités et les langues de votre classe ?* `Activités CE 1c, 3`

7] Compter

a) 👁 *Regardez et comptez de 1 à 10 avec les doigts.*

b) *Et dans votre pays ?* `Activités CE 5a, 5b`

0	zéro	*9*	neuf
1	un	*10*	dix
2	deux	*11*	onze
3	trois	*12*	douze
4	quatre	*13*	treize
5	cinq	*14*	quatorze
6	six	*15*	quinze
7	sept	*16*	seize
8	huit		

Présent

Être verbe irrégulier

Je **suis** français(e).
Tu **es** anglais(e).
Il/elle/on **est** espagnol(e).
Ils/elles **sont** chinois(es).
Nous **sommes** mexicain(e)s.
Vous **êtes** portugais(es).

Verbes à un radical

Parler

Je **parle** espagnol.
Tu **parles** anglais.
Il/elle/on **parle** arabe.
Ils/elles **parlent** chinois.
Nous **parlons** hébreu.
Vous **parlez** portugais.

Aimer

J'**aime** la classe.
Tu **aimes** le groupe.
Il/elle/on **aime** le français.
Ils/elles **aiment** la ville.
Nous **aimons** le cinéma.
Vous **aimez** Paris.

Verbe à deux radicaux

S'appeler

Je **m'appelle** Keiko.
Tu **t'appelles** Raoul.
Il/elle **s'appelle** Kris.
Ils/elles **s'appellent** Xiao et Jing.
Nous **nous appelons** Selim et Karl.
Vous **vous appelez** Malika.

Remarque :
Au présent, les trois personnes du singulier ont la même prononciation.

analyser et **p**ratiquer

8] Être étranger/ne pas être français

a) 🎧 *Écoutez et soulignez la négation. Que remarquez-vous ?*

Exemple : Il <u>n'</u>est <u>pas</u> espagnol, il est mexicain. Il est <u>pas</u> sympathique.

1. Je suis canadienne, je ne suis pas américaine.
2. Je travaille pas, je suis étudiant.
3. Elle est célibataire, elle n'est pas mariée.

4. Nous ne sommes pas français, nous sommes étrangers.
5. Vous êtes pas japonaise. Vous êtes coréenne ?
6. Ils sont suisses, ils sont pas allemands.

> PG 5a, 16 | Activités CE 4a, 4b, 8

b) ✎ *Écrivez des phrases sur les candidats de « Questions pour un champion ».*

Exemple : Tatiana n'est pas belge, elle est russe.

1. Ana ….
2. Nick ….
3. Milena ….
4. Hao ….
5. Steve ….
6. Cristina ….
7. Frida ….
8. Javier ….
9. Yves ….

9] Les jours de la semaine

a) 🎧 *Écoutez et remettez dans l'agenda les jours de la semaine dans l'ordre. Répétez.*

> PG 6

Jeudi

Samedi

Mardi

Vendredi

Dimanche

Lundi

Mercredi

Lundi	1 OCTOBRE	2 OCTOBRE	3 OCTOBRE	4 OCTOBRE	5 OCTOBRE	6 OCTOBRE	7 OCTOBRE

b) 🎧 *Écoutez. Complétez l'agenda avec les mots :*

restaurant – bar – tennis – théâtre – banque – cinéma – match

Exemple : lundi/cinéma

👄 *Ces mots existent-ils dans votre langue ?*

10] Étudier…

a) 🎧 *Écoutez et complétez avec le/la/l'/les.*

Exemple : l'économie

1. … mathématiques
2. … médecine
3. … urbanisme
4. … français
5. … journalisme
6. … Beaux-Arts
7. … chimie
8. … sciences politiques
9. … environnement
10. … arts du spectacle
11. … architecture
12. … informatique

b) *Que remarquez-vous ?* ▸ PG 3a

11] Présenter sa famille

Négation

ne + verbe + pas

*Je **ne** suis **pas** marié.*

Remarque : Souvent on ne prononce pas le « ne » à l'oral.

Je suis pas marié.

Devant a, e, i, o, u et certains mots commençant par h : **ne → n'**

*Je **ne** suis pas chinois.*
*Tu **n'**es pas japonais.*

Présent

Avoir **verbe irrégulier**

J'**ai** un frère.

Tu **as** trois soeurs.

Il/elle **a** cinq oncles.

Ils/elles **ont** quatre garçons.

Nous **avons** deux chiens.

Vous **avez** des enfants.

a) 👁 *Observez.*

1.   2.

3.   4.   Sabine   5.   6.

7.   8.   9.   10.

b) 👁 *Lisez et complétez les prénoms.*

Mes grands-parents s'appellent Pierre et Marie. Ils ont trois enfants, une fille et deux garçons : Sabine, Pascal, mon père, et Dominique.

Ma tante Sabine est célibataire.

Mon oncle Dominique est marié. Son épouse s'appelle Martine.

Ils ont deux filles : Clara, 1 an et Maud, 6 ans.

Ma mère, Andrée, est fille unique, elle n'a pas de frères et sœurs.

Je m'appelle Florent, je suis fils unique.

Nous avons un chien. Il s'appelle César.

c) ✏ *Et vous ? Présentez votre famille.* ▸ PG 3e   Activités CE 7a, 7b

1 communiquer

12] Qui est votre voisin(e) ?

a) 👄 *Vous discutez avec votre voisin(e).*

- Quel est ton/votre nom ?
- Quel est ton/votre prénom ?
- Quelle est ta/votre nationalité ?
- Quelle est ta/votre situation familiale ?
- Tu es/vous êtes étudiant(e) dans ton/votre pays ? ➤ PG 3g ▸ Activités CE 9, 11

b) 👄 *Par groupes de trois ou quatre, vous dites pourquoi vous apprenez le français.*

- pour le plaisir
- pour le travail
- pour connaître une autre langue
- pour comprendre des films en français
- pour lire des livres en français
- pour voyager dans un pays francophone
- pour faire des études
- pour comprendre mon ami(e)/mes ami(e)s français(e)s... ➤ PG 15

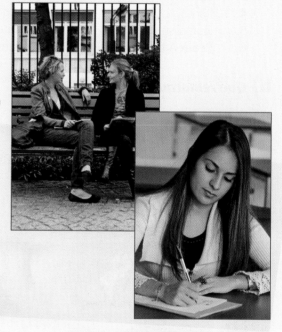

c) 🎧 *Écoutez et mémorisez. Vous vous déplacez dans la classe et vous vous saluez.*

Bonjour   Au revoir   **Salut**

À bientôt

Coucou

À tout à l'heure

À demain

Mademoiselle

Ça va bien

Ça ne va pas ?   **Ça va ?**

Monsieur   **Madame**

13] J'aime/je n'aime pas

a) 👄 *Vous aimez ? Vous n'aimez pas ? Choisissez et échangez avec vos voisins.*

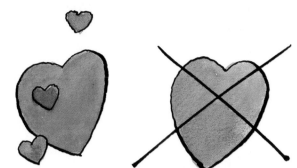

le bruit

l'alcool

les vacances

la pluie

le fromage

les enfants

la musique

le soleil

les filles

la montagne

le rock

le café

la danse

les garçons

le jazz

les films d'amour

les fleurs

le thé

le chocolat

la mer

les étoiles

le football

le cinéma

b) 🎧 *Écoutez le portrait de Cécilia et complétez.*

Elle aime

Elle n'aime pas

➤ PG 15, 16   Activité CE 6   Activité FD 2

vivre en français

14] Les prénoms populaires en France en 2005

a) 👁 *Observez ces prénoms.*

Chloé · Enzo · Inès · Camille · Clara · Hugo · Emma · Lucie · Jade · Léa · Lucas · Manon · Killian · Léo · Mathis · Théo · Maxime · Sarah · Mattéo · Thomas

b) 👄 *Ces prénoms existent-ils dans votre langue ? Comment se prononcent- ils ? Connaissez-vous des gens célèbres avec ces prénoms ?*

c) 🎧 *Écoutez et complétez.*

	Prénoms de filles	Prénoms de garçons
1		
2		
3		
4		
5		
6		
7		
8		
9		
10		

d) 👄 *Connaissez-vous d'autres prénoms français ?*

e) 👄 *Choisissez-vous un prénom français.*

15] Se saluer en France

a) 👁 *Observez les photos.*

En France pour se saluer, les gens se serrent la main ou se font la bise.

b) 👁 *Observez la carte des bises en France.*

c) 🎧 *Écoutez. Combien de bises fait-on à Ajaccio, Valence et Nantes ?*

d) 👄 *Et chez vous ?*

Activité FD 3

à lire à dire

a) 🎧 *Comptine. Écoutez.*

👄 *Lisez à plusieurs : une ligne par étudiant.*

Bonjour Madame **Lundi**,
Comment va Madame **Mardi** ?
Très bien, Madame **Mercredi** ;
Dites à Madame **Jeudi**
De venir **vendredi**
Danser **samedi**
Dans la salle de **Dimanche**

b) 🎧 *Poème. Écoutez.*

👄 *Lisez le texte d'un ton joyeux, puis chuchotez-le.*

Mots de tous les jours
bonjour
s'il vous plaît merci
usés vidés
à peine sonnent-ils
au revoir
s'il vous plaît merci
mots de tous les jours
petites pièces au fond du porte-monnaie
bonjour
au revoir
à demain

Bernard Friot, *À mots croisés*, Milan Jeunesse

c) 🎧 *Nouvelles conjugaisons. Écoutez.*

👄 *Lisez à voix haute.*

Verbe **fumer**

je fume, tu fumes, il tousse

nous toussons, vous **toussez**, ils s'arrêtent de fumer.

Verbe rouler

je roule, tu rOules, il roule, nous roulons, vous roulez, ils n'ont plus d'essence.

○ ○ ○ ○ ○ ○○ ○○○ ○ ○○ ○ ○○ ○

Verbe sonner

je sonne
tu sonnes
il sonne
nous sonnons
vous êtes sourds ?
Ils ne sont pas là !

PEF, « Verbe fumer », « Verbe sonner », « Verbe rouler » in *L'ivre de Français* © Éditions Gallimard

✏️ ***Écrivez de nouvelles conjugaisons avec les verbes s'appeler, aimer et parler.***

Communication

■ Observer et décrire la rue
■ Parler de :
  • son adresse
  • ses coordonnées
  • son quartier
■ Décrire les gens
■ Décrire un itinéraire
■ Demander son chemin

Outils linguistiques

■ Les prépositions de lieu
■ Les chiffres de 17 à 60
■ La préposition *à + le*
■ Les articles définis et indéfinis
■ *C'est / il y a*
■ Les adjectifs possessifs
■ Les verbes
  • *habiter*
  • *prendre*
  • *monter / descendre*
  • *aller*
■ Les éléments de la rue
■ Les vêtements
■ Les couleurs
■ Les transports
■ Prononcer / écrire
  • les liaisons (1)
  • les élisions

Cultures

■ Les noms des rues
■ Les murs peints

d écouvrir

1] Bruit des rues

a) *Observez les photos.*

b) 🎧 *Écoutez les bruits.*

c) *Associez chaque bruit à une photo.*

d) *Trouvez un ou des mot(s) pour chaque photo.*

Son	Photo	Nom
1	C	un facteur
2		
3		
4		
5		
6		
7		
8		
9		

2] Vocabulaire de la rue

a) 👁 *Observez ces photos.*

b) *Complétez la description avec les mots présents dans la page.*

Photo 1 C'est une avenue large, il y a :
- un bus
- un abribus
- des arbres
- des ....
- des ....
- pas de ....

Photo 2 C'est une petite rue, il y a :
- une piste cyclable
- un vélo
- un passage piéton
- des piétons
- des ....
- pas de ....

Photo 3 C'est une rue piétonne, il y a :
- des commerces
- pas de trottoir
- des ....
- pas de ....
- pas de ....

Photo 4 C'est un carrefour bruyant, il y a :
- des feux
- des voitures
- un tram
- des ....
- pas de ....

3] Vous habitez où ?

a) *Écoutez et complétez le tableau comme dans l'exemple.*

	Question sur l'adresse	Où	L'adresse
Ex.	Quelle est votre adresse ?	près de la gare	35, rue de la gare
1			
2			
3			

b) *Écrivez des phrases avec le verbe* **habiter** *comme dans l'exemple. Variez les prépositions.*

Anna/la bibliothèque ➡ Anna habite près de la bibliothèque.

Je/la place Garibaldi ➡ _____

Il/la cité universitaire ➡ _____

Tu/Paris ➡ _____

Vous/loin ➡ _____

Carlo/le centre ville ➡ _____

Tu/la rue Pasteur ➡ _____

Le professeur/la place de la Comédie ➡ _____

Léo/la gare ➡ _____

4] au/à l'/à la/aux

a) 👁 *Observez.*

Je suis **au** secrétariat.
Je suis **à la** gare.
Je parle **à l'**étudiant japonais.

Je téléphone **à l'**amie de Claire.
Il parle **aux** étudiants.
Il parle **à** Frédérique.

b) *Complétez le tableau.*

à + **le**	=	
à + **la**	=	
à + **l'**	=	
à + **les**	=	

c) *Construisez des phrases.*

Exemple : **Parler à/les** étudiants
➡ Le professeur parle **aux** étudiants.

Téléphoner à/un ami ➡ _____

Écrire à/Pierre ➡ _____

Expliquer à/les élèves ➡ _____

Activités CE 1, 2, 3

---

loin de   près de/à côté de   en face de

devant   derrière   entre

Liaisons

article + consonne → pas de liaison
article + voyelle ou h muet → liaison

un / trottoir – un‿arbre
                   n

des / gens – des‿habitants
                   z

pronoms personnels + consonne → pas de liaison
pronoms personnels + voyelle ou h muet → liaison

on / passe – on‿habite
                  n

vous / venez – vous‿arrivez
                     z

ils / sont – ils‿ont
                 z

préposition + consonne → pas de liaison
préposition + voyelle → liaison

dans‿une rue, chez‿une amie, en‿avion
      z   z   n

Élisions

le/la + consonne = le/la
le/la + voyelle ou h muet = l'

le / vélo – l'abribus
la / rue – l'avenue – l'hôtel

je + consonne = je
je + voyelle ou h muet = j'

je / prends – j'habite

TAXIS

5] Téléphone

a) 🎧 *Écoutez et écrivez les numéros de téléphone.*

1. Pompiers : ....
2. Police : ....
3. Taxi : ....
4. Secrétariat : ....
5. Sébastien Loran : ....

b) 🎧 *Écoutez et complétez le tableau.*

Elle dit un numéro	Il entend d'autres numéros
–	– ....
	– ....

Activité CE 4

6] Vie de quartier

a) 👁 *Regardez la photo et complétez la description.*

Une rue,
... place,
... voitures,
... bus,
... arbres,
... femmes,
... immeubles,
... passage piéton.

À vous ! Continuez.

b) *Barrez les lettres que vous n'entendez pas.*

Exemple : la rue

– la voiture
– l'avenue
– l'immeuble
– le trottoir
– le bus
– la rue animée
– le carrefour bruyant
– des pistes cyclables
– les grands arbres
– les feux
– les ronds-points

Activité CE 8

c) 👁 *Lisez.*

• C'est **une** grande avenue.
  Dans **l'**avenue passe **un** tram.
  Dans **le** tram, il y a **des** passagers.

• C'est **une** rue piétonne. Dans **la** rue piétonne, il y a **des** boutiques et **des** passants.
  Les passants entrent dans **les** boutiques de **la** zone piétonne.

Quand utilise-t-on un / une / des ? ....
le / la / l' / les ? ....

Activité CE 5

d) 🎧 *Écoutez et remplissez le tableau.*

C'est	Il y a
une rue animée	des commerces, des bus, des voitures, des piétons
...	...

e) 🎧 *Ils parlent de leur quartier. Écoutez et notez les avantages et les inconvénients.*

N°	Avantages	Inconvénients
Ex.	– calme – des bus et le métro	– pas de commerces
1		
2		
3		

Activité CE 10

7] Portraits

a) 👁 *Observez.*

Il est blond.
Il a une chemise blanche
et un blouson. Il porte
des lunettes, un pantalon
noir et des chaussures noires.
Qui est-ce ?

1 2 3 4

b) *Par deux. A décrit un étudiant de la classe à son voisin B. B devine.*

➤ PG 4 Activités CE 6, 13, 15

8] Adjectifs possessifs

👁 *Lisez et soulignez les adjectifs possessifs.*

CHRISTÈLE : C'est une photo de ta famille ?
LÉNA : Oui, ma grande sœur, mon petit frère, ma mère…
CHRISTÈLE : Et ton grand-père !
LÉNA : Non, mon père…
CHRISTÈLE : Oh pardon…
LÉNA : Oui, mes parents.
CHRISTÈLE : Et là, à droite, ton petit ami ?
LÉNA : Oui, c'est Thomas, mon copain.

➤ PG 3e Activités CE 9, 11, 12

🎧 **Chiffres de 17 à 60**

17	dix-sept	30	trente
18	dix-huit	31	trente et un
19	dix-neuf	32	trente-deux
20	vingt	40	quarante
21	vingt et un	50	cinquante
22	vingt-deux	60	soixante

C'est = un ensemble   **Il y a** = les éléments
C'est une salle de cours. Il y a des bureaux, un tableau, des livres.

Articles indéfinis

masculin singulier	féminin singulier	pluriel
un arbre	une rue	des arbres des rues
un plan	une école	des plans des écoles

Articles définis

masculin singulier	féminin singulier	pluriel
le plan l'arbre	la rue l'école	les plans les arbres les rues les écoles

Les couleurs

jaune
vert
orange
bleu
rouge
rose
violet

Prononcer/écrire

	masculin	féminin
oral	/pœti/ /grã/ /gro/	/pœtit/ /grãd/ /gros/
écrit	petit grand gros	petite grande grosse

TAXIS

analyser et **p**ratiquer

9] Déplacements

A

a) 🎧 *Les moyens de transport.*
Écoutez et reliez les enregistrements et les photos.

B

C

D

E

F

H

G

i

1	2	3	4	5	6	7	8	9
F								

> **Remarque :**
> On va à l'université **en** bus ou **à** pied.
>
> **en** ➡ à l'intérieur
> *Exemple : en avion, en train…*
>
> **à** ➡ à l'extérieur
> *Exemple : à pied, à moto, à cheval…*
>
> Au Québec, une voiture s'appelle un char.
> En France, on gare sa voiture. Au Québec,
> on parque son char. **Activité CE 16**

b) *Reliez les éléments suivants :*

Exemple : gare ➞ train

1. gare   2. station   3. arrêt   4. parking   5. aéroport

a. bus   **b.** train   **c.** métro   **d.** moto   **e.** avion   **f.** voiture

c) *Lisez et jouez le dialogue avec votre voisin.*

Tu montes ou je descends ?
- Pour quoi faire ?
- Allez, monte !
- Pour quoi faire ? Descends, toi !
- Non, monte !
- Pour quoi faire ?

➤ PG 9   Activité CE 7

d) *Écoutez et repérez les stations de métro.*

e) *Expliquez oralement l'itinéraire pour aller à la gare à pied.*

à gauche   tout droit   à droite

traverser   prendre   aller   continuer

Activités CE 14, 17

Habiter/Monter verbes à un radical

J' habite rue Molière.
Tu habites à la résidence.
Il/elle/on habite près de la gare.
Ils/elles habitent place de l'Opéra.
Nous habitons loin.
Vous habitez rue Longue.

Descendre verbe à deux radicaux

Je descends* les escaliers.
Tu descends du bus.
Il/elle/on descend
Ils/elles descendent
Nous descendons
Vous descendez

Prendre verbe à trois radicaux

Je prends le bus.
Tu prends le train.   } [ã]
Il/elle/on prend l'avion.
Ils/elles prennent un café.   } [ɛn]
Nous prenons le tramway.   } [œn]
Vous prenez le bateau ?

Aller verbe irrégulier

Je vais à l'université.
Tu vas à la résidence.
Il/elle/on va en ville.
Ils/elles vont au café.
Nous allons au cinéma.
Vous allez loin ?

* La lettre barrée ne se prononce pas.

Adjectifs possessifs

Personne	Singulier		Pluriel
Je	mon livre ma chemise mon amie	mes	⌈livres ⟨chemises ⌊amies
Tu	ton livre ta chemise ton amie	tes	⌈livres ⟨chemises ⌊amies
Il Elle On	son livre sa chemise son amie	ses	⌈livres ⟨chemises ⌊amies

Remarque :
Ma + mot féminin avec voyelle = mon
Exemple : mon amie

2 communiquer

10] Adresses

a) *Par deux, corrigez les adresses inexactes et repérez la bonne adresse.*

Adrien Lopez
Résidence les Iris
Bat B. 2ème étage
13, rue de Strasbourg
31000 Toulouse
FRANCE

Pour Mr Jean-Yves Labart
58 rue Alsace Lorraine
69500 BRON

Chère madame Martine Chaput
75 avenue du général Leclerc
75001 PARIS

Nourdine Bekaly
Nantes
rue Gustave Flaubert, 60

45 230 PUISEAUX
13 rue de Mainville
Mr et Mme GILOU

Gaston Raduchon
15, rue principale
89310 GENOUILLY

b) *Demandez et écrivez les coordonnées de quatre personnes dans la classe.*

🚶	**Nom**	
✉️	**Adresse**	
☎️	**Téléphone**	
@	**Courriel**	

c) 🎧 *Écoutez et indiquez sur le plan où passe le facteur.*

d) 🎧 *Écoutez encore une fois et complétez le tableau.*

Adresse	Il aime cette adresse ?	Pourquoi ?
1 rue du premier film	oui	• le musée du cinéma • le calme • pas de circulation • des maisons

11] Qui est-ce ?

a) 👁 **Jeu de mémoire**

Regardez les photos pendant une minute.
Fermez le livre.
Par deux, écrivez la liste des vêtements
Exemple : un pull orange

b) 👄 **Devinette**

Par deux. A choisit une personne.
B pose des questions pour deviner
qui c'est. A répond par oui ou non.
Exemple :
A : Elle porte une jupe marron ?
B : Non.
A : Un pantalon ?
B : Oui.

1

2

12] Noms de rues : art, histoire et poésie

a) 👁️ *Lisez le texte.*

Toutes les villes de France ont une *rue de la République* ou une *avenue de la Liberté*. La *rue du 11 Novembre* ou la *rue du 8 Mai* rappellent la fin des deux guerres mondiales.

D'autres lieux ont des noms de pays – *la place d'Italie, le boulevard des États-Unis* – ou de régions – *la place des Vosges, le boulevard d'Aquitaine*.

Il y a aussi les noms d'artistes : *Mozart, Berlioz* pour la musique, *Gauguin, Picasso* pour la peinture, *Noureïev* pour la danse, *Balzac, Tolstoï* pour la littérature, etc. Ou encore des noms de savants, *Pasteur, Einstein, Marie Curie*, ou de professions, *rue des Maraîchers* ou *rue des Bouchers*.

Les nouveaux quartiers portent souvent des noms poétiques, la *rue du Paradis*, l'*avenue des Rosiers*. Et il y a aussi la *rue du Repos...* en face du cimetière !

b) 👄 *Comment s'appellent les rues dans votre pays ? Expliquez oralement, donnez des exemples.*

> **Et dans les pays francophones...**
> On retrouve l'organisation politique du pays par les noms de rues : *rue de la République* à Nantes, *rue de la Confédération* à Genève, *rue de la Reine*, *rue des Princes* à Bruxelles.
>
> À Québec, en juillet 2006, beaucoup de rues changent de nom : *la 4e Avenue* devient *la rue des Sauterelles*, *la 6e Avenue* devient *la rue des Coccinelles*, etc.

Activités FD 1, 2

13] Murs peints

Avant : c'est un grand mur vide.

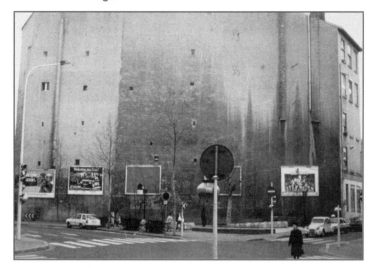

Après : c'est un mur peint.

Le Mur des Canuts, 1200 m^2, sis Boulevard des Canuts – Lyon 4^e

Il y a beaucoup de murs peints à Paris, à Lyon, à Grenoble, à Namur en Belgique, à Québec… Ils embellissent des immeubles gris, des usines, des piscines, des écoles, des hôpitaux, des centres sportifs …

Illusion ou réalité ?

1

2

Sont-ils vrais ou faux ? Cochez la bonne réponse.

Photo 1 : l'homme et le vélo ❑ V ❑ F
l'homme à droite ❑ V ❑ F
la boutique rouge ❑ V ❑ F
le chien ❑ V ❑ F
la boîte aux lettres jaune ❑ V ❑ F

Photo 2 : la boutique ❑ V ❑ F
les fenêtres ❑ V ❑ F
l'homme en blanc ❑ V ❑ F
l'homme en rouge ❑ V ❑ F

*Pour en savoir plus: www.trompeloeil.info,
avec un beau mur peint à Québec,
le Petit Champlain.*

Activités FD 3, 4, 5

a) 🎧 *Écoutez.*

b) *Par groupes, imaginez une lecture collective, à voix haute.*

c) 🎧 *Écoutez.*

d) *Faites un collage et/ou des dessins pour représenter cette rue.*

Y avait une fois un taxi

Y avait une fois un **taxi**
taxi taxi taximètre
qui circulait dans Paris
taxi taxi taxi cuit
il aimait tant les voyages
taxi taxi taximètre
qu'il allait jusqu'en Hongrie
taxi taxi taxi cuit [...]

Raymond Queneau,
extrait de « Ixatnu siofnnut i avay »
in *Courir les rues*, © Éditions Gallimard

Dans notre rue

Dans notre **rue** il y a
Des **autos**, des **gens** qui s'affolent,
Un grand magasin, une **école**,
Et puis mon cœur,
mon cœur qui bat,

Tout bas.
Dans cette école il y a
Des **oiseaux** chantant tout le jour
Dans les **marronniers** de la cour.
Mon cœur, mon cœur,
mon cœur qui bat
Est là.

© Jacques Charpentreau,
La ville enchantée, 1976.

Chanson

a) 🎧 *Écoutez la chanson sans lire les paroles.*
Quels sont les instruments de musique ?
Quel est le titre de la chanson ?

Titre : _____

Dans ma rue
Il y a des cinglés du jogging (A)
Les amoureux du lèche-vitrine (B)
Et des passants comme vous et moi
     Dans ma rue

Dans ma rue
 Y a des poubelles sur le trottoir (C)
Des toutous que promène le soir (D)
Leur mémé en chemise de nuit
Dans ma rue

Mais il y a aussi Annie
Et il y a aussi Cathy
Puis il y a aussi Sophie (E)
Et il y a aussi Nathalie
(Refrain)

Dans ma rue
Y a des autos à cent à l'heure
Des policiers, des voleurs
Qui s'tirent dessus au revolver
Dans ma rue (...)

Philippe Swan,
© Cheap Music/Team for action 1988.

b) 🎧 *Écoutez encore une fois et lisez.*
Trouvez les photos pour A, B, C, D, E.

TAXIS

découvrir

1] Quels commerces ?

a) 👁 *Observez les photos.*

b) *Quels magasins, quels objets pouvez-vous associer à ces photos ?*

une boulangerie	un cybercafé	des livres	des billets
un bureau de tabac	une banque	des cigarettes	des ordinateurs
une pharmacie	un bureau de poste	un pain, une baguette	des enveloppes
un magasin d'alimentation	une librairie		des boissons
		des médicaments	

c) 🎧 *Écoutez et lisez. Dans quel(s) commerce(s) pouvez-vous entendre ces phrases ?* ▶ PG 13

Exemple : Dans un magasin d'alimentation : « Je prendrai aussi des oranges, un kilo. »

1 « Un carnet de timbres, s'il vous plaît. »

2 « J'aimerais une baguette bien cuite. »

3 « Je voudrais une brosse à dents, s'il vous plaît. »

4 « Je viens chercher mon carnet de chèques. »

5 « Donnez-moi une boîte d'allumettes. »

6 « Vous avez le dernier livre sur François Mitterrand ? »

d) 👄 *Demandez autre chose. Complétez les bulles.*

Exemple : Dans une boulangerie

Deux croissants, s'il vous plaît.

1. Dans un bureau de poste

2. Dans une pharmacie

3. Dans un magasin d'alimentation

4. Dans une librairie

Activités CE 1, 2, 3, 5
Activités FD 1, 2

3 analyser et pratiquer

2] Conversations dans les commerces

a) 🎧 *Écoutez le dialogue. Observez le tableau.*

Je suis malade

LE PHARMACIEN : Mademoiselle ?

LA CLIENTE : Je tousse, je voudrais du sirop.

LE PHARMACIEN : Toux grasse ou toux sèche ?

LA CLIENTE : Toux sèche.

LE PHARMACIEN : Vous pouvez prendre ce sirop... une cuillérée à soupe avant chaque repas. Vous désirez autre chose ?

LA CLIENTE : Oui, donnez-moi aussi de l'aspirine... j'ai mal à la tête. J'ai peut-être de la fièvre.

LE PHARMACIEN : Voilà, une boîte d'aspirine... c'est tout ?

LA CLIENTE : Non, je vais prendre un paquet de chewing-gum sans sucre. Merci. Je vous dois combien ?

LE PHARMACIEN : 18 euros.

b) 🎧 *Écoutez les deux autres dialogues. Complétez le tableau.*

Où sont-ils ?	Qu'est-ce qu'ils prennent ?	Quelle quantité ?
Dans une pharmacie	du sirop de l'aspirine du chewing-gum	une cuillerée à soupe de sirop une boîte d'aspirine un paquet de chewing-gum
Au restaurant	du vin	un verre de vin rouge
Au supermarché		

c) *Faites correspondre.*

Exemple : une bouteille d'eau ➡ F

A	B	C	D	E	F	G

1. un sachet de thé – 2. un pot de moutarde – 3. un tube de mayonnaise – 4. une plaque de beurre – 5. un paquet de biscuits – 6. un sac de pommes de terre

▶ PG 3d

3] Que faut-il manger ?

a) 👁 *Observez ce tableau pour être en forme toute la journée et rester en bonne santé.*

La pyramide alimentaire

Tous les jours

Occasionnels : Gâteaux, biscuits, confiseries, chocolat, sucres, chips… En petites quantités

Viandes – Volailles – Poissons – Œufs 1 à 2 fois par jour

Matières grasses tartinables et de cuisson Peu et varier les sources

Fruits frais + légumes (crus et cuits) 5 fois par jour, à chaque repas

Produits laitiers 2 à 3 fois par jour dont 1 fromage

Pain – Pommes de terre Céréales (riz, blé, maïs…) **Pâtes – Légumineuses** À chaque repas, de préférence complets

Eau et boissons non sucrées Eau à volonté

Activité physique 30 min. de marche rapide (ou équivalent) par jour

b) 👄 *Et vous, comment mangez-vous ?*
Utilisez : un peu de/beaucoup de/trop de/pas assez de/suffisamment de/pas du tout de

Exemple : Je mange peu de céréales.

c) 👄 *Quelles sont les habitudes alimentaires de votre pays ?*

Exemple : En France, on mange beaucoup de pain.

Activités CE 4, 9

d) 🎧 *Écoutez et complétez le tableau.*

	Quoi ?	Quelle quantité ?
1	des gâteaux	trop de gâteaux
2		
3		
4		
5		

Formules de politesse

J'aimerais un café.
Je voudrais une bière.
Je prendrais bien un thé.

Présent

Verbes à deux radicaux

Acheter

J'ach**è**te du pain.	Ils/elles ach**è**tent
Tu ach**è**tes	Nous achet**ons**
Il/elle/on ach**è**te	Vous achet**ez**

Vendre

Je ven**ds** des journaux.	Ils/elles vend**ent**
Tu ven**ds**	Nous vend**ons**
Il/elle/on ven**d**	Vous vend**ez**

Verbe à trois radicaux

Boire

Je **boi**s un jus d'orange.	Ils/elles **boiv**ent
Tu **boi**s	Nous **buv**ons
Il/elle/on **boi**t	Vous **buv**ez

Faire verbe irrégulier

Je **fais** un gâteau.	Ils/elles **font**
Tu **fais**	Nous **faisons**
Il/elle/on **fait**	Vous **faites**

Demander le prix

C'est combien ?
Ça fait combien ?
Combien ça coûte ?
Quel est le prix ?

Donner le prix

C'est 18 euros.
Ça fait 140 euros.
Ça coûte 250 euros.
Vous me devez 1000 euros.

Du/de l'/de la

de + le = du
J'achète du lait.
de + l' = de l'
J'achète de l'eau.
de + la = de la
J'achète de la bière.

4] Quel est le problème ?

a) 🎧 *Écoutez et cochez la bonne réponse.*

1. À la boulangerie
- ❑ le pain est trop cuit.
- ❑ il n'y a plus de pain.
- ❑ c'est l'heure de la fermeture.

2. À la caisse du supermarché
- ❑ il y a une erreur dans la note.
- ❑ le client donne trop.
- ❑ le client ne donne pas assez.

3. À la pharmacie
- ❑ la cliente n'a pas sa carte vitale.
- ❑ la cliente n'a pas d'ordonnance d'un médecin.
- ❑ la cliente ne prend pas de médicaments.

4. Au restaurant
- ❑ il fait trop chaud.
- ❑ il est interdit de fumer.
- ❑ il y a une erreur dans la commande.

5. Au cybercafé
- ❑ il n'y a plus de place.
- ❑ le client ne peut pas se connecter à Internet.
- ❑ la souris ne fonctionne pas.

6. À la banque
- ❑ la banque ferme à 16 h 30.
- ❑ la banque ferme à 6 h 30.
- ❑ la banque ferme à 18 h 30.

b) *Associez ces phrases aux situations précédentes.*

Exemple : Elle ferme à 4 heures et demie. ➡ 6

A. Je peux revenir dans combien de temps ?
B. Désolé, je vais aller finir ma cigarette dehors.
C. Excusez-moi, je vous dois combien ?
D. C'est juste pour un pain, je n'ai plus rien chez moi.
E. Vous pouvez me donner l'adresse d'un docteur dans le quartier ?

c) 👄 *Improvisez une petite scène dans un commerce. Aidez-vous du tableau.*

Interroger le client	Madame ? Monsieur ? C'est à qui ? Vous désirez autre chose ? C'est tout ?
Demander si le client est satisfait	C'est bon ? Ça va ? Ça vous plaît ? Ça vous convient ?
Protester	C'est trop cher ! Il y a une erreur ! Ce n'est pas possible ! Ce n'est pas normal !
S'excuser	Pardon ! Désolé(e) Je suis désolé(e) ! Excusez-moi !

`Activités CE 7, 8` `Activité FD 3`

5] Horaires

🎧 *Écoutez et complétez. Quel commerce, quels horaires ?*

1

L_____ est ouverte
du lundi au vendredi
de _____ à _____ ,
le samedi de _____ à _____

2

L_____
est ouverte
du lundi au vendredi
de _____ à _____ ,
le samedi
de _____ à _____

3

L_____ est ouverte
le lundi de _____ à _____
du mardi au samedi
de _____ à _____ et
de _____ à _____

4

L_____ est ouverte
tous les jours
de _____ à _____

`Activités CE 10, 12, 13`

🎧 **Chiffres de 70 à 1000**

70	soixante-dix
71	soixante et onze
72	soixante-douze
80	quatre-vingts
81	quatre-vingt-un
82	quatre-vingt-deux
90	quatre-vingt-dix
91	quatre-vingt-onze
92	quatre-vingt-douze
100	cent
101	cent un
102	cent deux
200	deux cents
201	deux cent un
202	deux cent deux
300	trois cents
301	trois cent un
302	trois cent deux
400	quatre cents
401	quatre cent un
402	quatre cent deux
1000	mille

Négation ne ... plus

Ne ... plus → arrêt d'une action
*Il téléphone **encore** ?*
*Non, il ne téléphone **plus**.*

6] Ouvrir un compte bancaire

a) 🎧 *Écoutez le dialogue et complétez le texte.*

LEI : Bonjour, je suis une étudiante chinoise et je voudrais ouvrir un compte dans votre banque.

L'EMPLOYÉE : Eh bien, vous _____ apporter votre passeport, votre carte de séjour et un justificatif de domicile.

LEI : Un justificatif de domicile ?

L'EMPLOYÉE : Vous _____ apporter une facture d'EDF ou de téléphone.

LEI : C'est tout ?

L'EMPLOYÉE : Oui, mais avant de venir, il faut prendre rendez-vous avec le responsable de l'agence.

LEI : Je _____ prendre rendez-vous tout de suite ?

L'EMPLOYÉE : Oui bien sûr, samedi si vous _____ à 10 h 45 ?

LEI : Oui, je _____

L'EMPLOYÉE : Vous _____ me donner votre nom ?

LEI : ZHAN Lei. Z-H-A-N, L-E-I.

L'EMPLOYÉE : Bon, c'est noté. À samedi, Mademoiselle Zhan.

LEI : Au revoir, Madame, merci beaucoup.

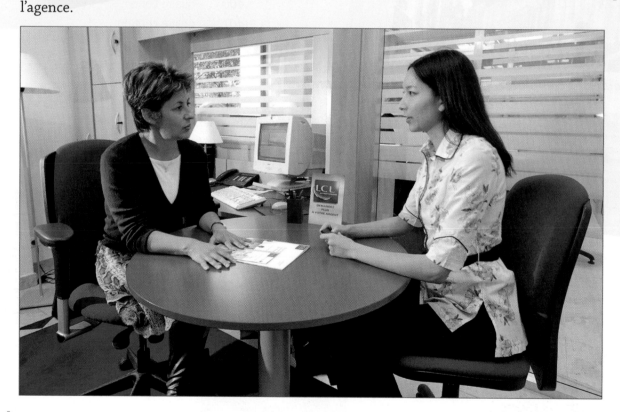

b) 👄 *Formez des phrases affirmatives ou négatives à partir des éléments suivants. Variez les sujets.*

Exemple : Ne pas pouvoir sortir/être malade ➡ Je ne peux pas sortir, je suis malade.

1. Devoir partir/être en retard. _____
2. Ne pas vouloir boire d'alcool/conduire. _____
3. Ne pas pouvoir venir/être en vacances à l'étranger. _____
4. Ne pas pouvoir dormir/ne pas avoir sommeil. _____

5. Vouloir manger/avoir faim. _____
6. Aller au marché/devoir faire les courses. _____
7. Ne pas pouvoir manger de viande/être végétarien. _____

Activités CE 11,14

7] Publicité

a) 👁 *Observez cette publicité.*

Profitez de ces
prix exceptionnels

Ce portable à **1000 euros**
Cet écran à **280 euros**
Cette imprimante à **65 euros**

Ces offres sont valables
dans **tous nos magasins**
Microfolies cet automne.

b) 👁 *Complétez avec les adjectifs démonstratifs*
de la publicité. Trouvez le singulier et le pluriel.

	masculin	féminin
singulier	_____ portable _____ prix cet_automne _____ écran	_____ imprimante _____ offre
pluriel	_____ magasins _____ prix	_____ offres _____ imprimantes

c) 🎧 *Écoutez les mots du tableau.*
Notez les liaisons et les enchaînements.

d) ✒ *Complétez avec un adjectif démonstratif.*

Exemple : Ce vin est trop cher.

1. J'aime _____ couleur.
2. _____ hôtel est dans le centre ville.
3. Je voudrais goûter _____ fruits.
4. _____ ananas est délicieux.
5. Quel est le prix de _____ cartes postales ?
6. _____ orange n'est pas mûre.

Activités CE 6, 15   ➤ PG 3f

Présent

Verbes à trois radicaux

Devoir
Je **dois** ouvrir un compte.
Tu **dois**
Il/elle/on **doit**
Ils/elles **doiv**ent
Nous **dev**ons
Vous **dev**ez

Vouloir
Je **veu**x avoir une carte.
Tu **veu**x
Il/elle/on **veu**t
Ils/elles **veul**ent
Nous **voul**ons
Vous **voul**ez

Pouvoir
Je **peu**x prendre rendez-vous.
Tu **peu**x
Il/elle/on **peu**t
Ils/elles **peuv**ent
Nous **pouv**ons
Vous **pouv**ez

Il faut

Il faut + verbe à l'infinitif
Il est nécessaire de + verbe à l'nfinitif
Il faut voir le responsable.

Cet

Ce → cet devant un mot masculin qui commence
par a, e, i, o, u, h (certains mots commençant par h)
Cet_été
Cet_agréable jardin

Enchaînement

Attention : devant une voyelle, la consonne
finale change de syllabe.
une_étudiante ➡ [y/ne/ty/djãt]

3 communiquer

8] Mises en scène

👄 *Jouez les scènes suivantes.*

a) *Par groupes de deux.*

Le matin au petit déjeuner :
– Julie salue Sarah, sa colocataire, et demande comment elle va.
– Sarah répond que ça ne va pas. Elle dit qu'elle est malade.
– Julie propose d'aller à la pharmacie et de faire les courses.
– Sarah dit merci, accepte et demande à Julie d'acheter…

b) *Par groupes de trois.*

David, Nicolas et Min vont partir en randonnée en montagne pour le week-end.
Que vont-ils mettre dans leur sac à dos ? Ils discutent.

c) *Par groupes de deux.*

Dimitri veut recevoir trois ami(e)s. Il ne sait pas cuisiner.
Il téléphone à sa mère pour avoir une recette facile à faire.
Elle explique la recette, il prend des notes, pose des questions et fait répéter.
Utilisez une des deux recettes suivantes pour jouer la scène.

Exemple : Pour faire un gratin dauphinois, tu prends 1 kg de pommes de terre …

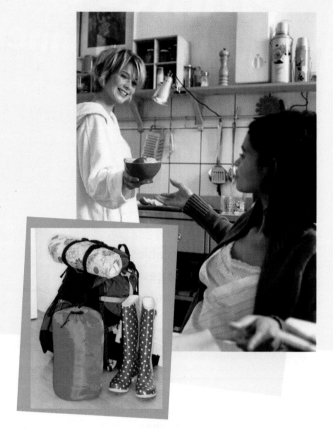

Gratin dauphinois

1 kg de pommes de terre ■ ½ L de crème ■
1 gousse d'ail ■ sel et poivre ■ 30 g de beurre

Épluchez les pommes de terre. Coupez les pommes de terre en rondelles très minces. Frottez l'intérieur d'un plat avec l'ail, puis le beurre. Déposez les pommes de terre par couches. Salez et poivrez. Recouvrez avec la crème. Mettez à four moyen pendant 1 h. On peut remplacer la crème par du lait.

Taboulé libanais

300 g de couscous
2 gros oignons
1 bouquet de menthe fraîche
4 grosses tomates
2 citrons
3 cuillères à soupe d'huile d'olive
1 concombre
1 bouquet de persil frais
sel et poivre

Lavez les tomates. Épluchez les concombres et les oignons. Coupez en gros morceaux. Versez dans un saladier. Ajoutez le jus des citrons, le persil et la menthe coupés. Ajoutez l'huile, le sel et le poivre. Mélangez tout. Versez le couscous dans la préparation. Mélangez bien. Couvrez et laissez reposer 3 heures.

d) *Par groupes de cinq.*

Vous êtes au restaurant avec quatre ami(e)s. Susan est végétarienne. Saïd ne mange pas de porc.
Carlo est allergique aux fruits de mer. Claudia est au régime.
Observez le menu. Qu'allez-vous choisir ? Commentez.

Entrées

Salade niçoise (thon – anchois – oignons – olives – tomates – haricots)
Salade montagnarde (gruyère – jambon – noix – pommes de terre)
Salade océane (crevettes – moules – tomates – salade verte)
Salade deux fromages (tomates – pain – chèvre – bleu – salade verte)

Viandes

Escalope de veau à la crème
Brochettes d'agneau aux herbes
Tartare de bœuf
Côte de porc

Poissons

Saumon au basilic
Rougets grillés
Filet de truite

Garnitures (au choix)

Riz
Haricots verts
Frites
Tomates provençales

Desserts

Fromage blanc
Crème brûlée
Mousse au chocolat
Salade de fruits
Coupe de glace
Fruits de saison

Boissons

Coca • Jus de fruit • Eau minérale • Vin • Café • Thé

3 vivre en français

9] Une nouvelle façon de manger

a) 👁 *Lisez.*

Manger bio

Un aliment biologique est produit sans engrais chimiques et sans pesticides. L'agriculture biologique ne pollue pas. Un élevage biologique respecte le développement des animaux. 37 % des Français consomment régulièrement des produits bio : des produits laitiers, des fruits, des légumes, des volailles, du bœuf, du pain… Ces produits ont du goût, ils sont de bonne qualité, ils sont bons pour la santé.

Les consommateurs de produits bio ont en général de 35 à 64 ans. Ils sont diplômés. Ils vivent dans les grandes villes. Pour beaucoup de Français, ces produits sont trop chers. Leur prix est supérieur de 20 à 50 % par rapport aux produits non bio.

On trouve des produits bio dans les supermarchés, sur les marchés, dans les magasins spécialisés et chez les commerçants (boucher, boulanger).

Le label AB (agriculture biologique) est connu.

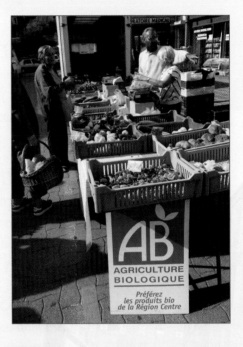

Dites si c'est vrai ou faux et rectifiez les affirmations fausses.

		Vrai	Faux
1.	Un aliment bio est un aliment naturel.	❏ Vrai	❏ Faux
2.	L'agriculture biologique respecte la nature.	❏ Vrai	❏ Faux
3.	Beaucoup de Français achètent des produits biologiques.	❏ Vrai	❏ Faux
4.	Les jeunes n'achètent pas beaucoup de produits biologiques.	❏ Vrai	❏ Faux
5.	On achète beaucoup de produits biologiques à la campagne.	❏ Vrai	❏ Faux
6.	Les produits bio coûtent cher.	❏ Vrai	❏ Faux
7.	On trouve seulement des produits bio dans les magasins spécialisés.	❏ Vrai	❏ Faux
8.	Le label AB veut dire Assez Bon.	❏ Vrai	❏ Faux

b) 👁 *Lisez.*

Le commerce équitable

Ce commerce établit des relations commerciales plus justes avec des petits producteurs défavorisés des pays du Sud. Il est fondé sur la garantie d'un revenu décent, le respect des droits sociaux et la préservation de l'environnement.

56 % des Français connaissent le commerce équitable, 1 personne sur 5 achète les produits avec l'étiquette « commerce équitable » ou Max Havelaar.

Que signifie l'étiquette Max Havelaar ?

Activité FD 4

10] Manger différemment

a) *Observez ces images.*

b) *Dans quel magasin peut-on trouver ces produits ?*

La viande de cheval a été un interdit alimentaire en France surtout aux 18ᵉ et 19ᵉ siècles. On a alors ouvert des boucheries spéciales pour la viande de cheval.

La viande halal ou hallal vient d'un animal tué selon le rite musulman.

La consommation d'un produit kasher ou casher est autorisée par la loi mosaïque (de Moïse). Une personne de confession, d'origine ou de tradition juive mange casher.

c) *Discutez en petits groupes.*

– Trouvez-vous ces produits dans votre pays ?
– Avez-vous l'habitude de manger un de ces produits ? Pourquoi ?
– Avez-vous des interdits alimentaires ?
– Dans votre pays, mangez-vous la viande d'un animal qu'on ne mange pas ou qu'on ne trouve pas en France ?

11] Les allergies alimentaires

a) *Lisez le document suivant.*

b) *Et vous ? Avez-vous des allergies alimentaires ?*
Expliquez oralement.　　`Activité FD 5`

> **Les allergies alimentaires**
> Les allergies alimentaires ont doublé en quelques années.
> Près de 4 % des adultes et 8 % des enfants doivent surveiller leur assiette.
> Lait, œuf, cacahuète, gluten sont les principaux accusés.
> Ce problème est souvent grave, parfois mortel.

UNITÉ 3 à lire à dire

a 🎧 *Écoutez.*

b *Lisez.*
Jouez la scène entre
le médecin et le patient.

La condamnation *ou le médecin*

Déshabillez-vous !
Déshabillez-vous complètement !
Ne gardez rien sur vous !

Restez debout, levez les bras, baissez-les !
Dites : trente-trois, trente-trois, trente-trois !

Étendez-vous !
Ouvrez la bouche, tirez la langue, regardez au plafond !
Regardez-moi !

Retenez votre souffle !
Un, deux, trois : respirez maintenant !
Retenez votre souffle… **Respirez !**
Respirez fort !

Respirez à fond !
Fermez les yeux !

NE RESPIREZ PLUS !

Jean Tardieu, « La condamnation *ou* le médecin »
in *Le Professeur Froeppel*, © Éditions Gallimard

c 🎧 *Je pense à toi. Écoutez.*

d *Lisez.*
Mimez ce texte.

Je pense à toi, souvent
parfois je rentre dans un café, je m'assieds près de la porte,
je commande un café
je dispose sur le guéridon de faux marbre mon paquet de cigarettes, une
boîte d'allumettes, un bloc de papier, mon stylo feutre
je remue longtemps la petite cuiller dans la tasse de café (pourtant je
ne sucre pas mon café, je le bois en laissant fondre le sucre dans ma
bouche, comme les gens du Nord, comme les Russes et les Polonais quand
ils boivent du thé)
je fais semblant d'être préoccupé, de réfléchir, comme si j'avais une
décision à prendre
En haut et à droite de la feuille de papier, j'inscris la date, parfois le
lieu, parfois l'heure, je fais semblant d'écrire une lettre

Georges Perec, *Espèces d'espaces*, © Éditions Galilée, 1974/2000

c) *Chanson*

1. *Observez les aliments que le chanteur aimerait manger au petit-déjeuner.*

des huîtres

des moules

un poulpe

des bigorneaux

2. *Dans quel commerce pouvez-vous acheter ces aliments ?*
Mangez-vous ces aliments ? Mangez-vous ces aliments au petit-déjeuner ?

3. *Écoutez la chanson et soulignez ces aliments.*

4. *Retrouvez dans la chanson les éléments du petit-déjeuner français traditionnel.*
– on boit .... – on mange ....

Les Huîtres

Ah ! J'aim'rais bien
Déguster de bonnes huîtres
Au petit-déjeuner
Goûtez-moi ça, **goûtez**
C'est vraiment très bon avec du lait
N'oubliez pas de les sucrer
Sortez de votre coquille
Laissez-vous tenter
Par les produits de la marée

Ah ! J'aim'rais bien
Me **gober** des bigorneaux avant de t'embrasser
Goûtez-moi ça, goûtez
C'est bon avec une tasse de café
N'oubliez pas le pain beurré
Sortez de votre coquille
Laissez-vous tenter
Par tous ces beaux fruits de mer frais

Ah ! J'aim'rais bien
Manger tôt de jolis poulpes
Avec mes bigorneaux
Goûtez-moi ça, goûtez
C'est si bon avec du cacao
Mais il faut les tenir au chaud
Sortez de votre coquille
Voyez si c'est beau
Un tas de moules sur un plateau
Alléluia Alléluia Allélluia...

Chanson Plus Bifluorée, « De concert et d'imprévu » chez Rym Musique, distribution Universal.

à la découverte de la vie quotidienne

Communication

- Parler de son travail et de ses activités
- Parler de ses horaires
- Prendre rendez-vous par téléphone

Outils linguistiques

- Le passé composé avec *avoir*
- Les verbes pronominaux
- *On*
- Les pronoms compléments directs : *le la les*
- Les activités et les lieux de la vie quotidienne
- L'emploi du temps
- Les horaires
- La maison
- La météo
- Les mois, les saisons
- Les voyelles nasales

Cultures

- L'organisation du travail
- Le logement des étudiants
- Emploi et activité

découvrir

1] La journée d'une famille

a) *Par deux, imaginez deux histoires différentes à partir de toutes ces photos : une situation classique et une situation plus originale.*

b) *Échangez vos récits avec le groupe voisin.*

> ### *Les verbes de la vie quotidienne*
> préparer/prendre le petit-déjeuner, déjeuner, dîner, (re)partir/rentrer, commencer/finir, aller travailler, faire des courses, accompagner les enfants, aller chercher les enfants

Les lieux de la vie quotidienne
à la maison, à l'école, au travail, au café, au restaurant, dans la rue, au parc…

2 | Emplois du temps

a) 🎧 *Que fait le chauffeur de bus ?*
Remplissez la page de l'agenda.

7 h 30 Il se lève
8 h
9 h
10 h
11 h
12 h

13 h
14 h
15 h
16 h
17 h
18 h
19 h

b) *Dans un centre de langue, voici l'emploi du temps du groupe B pour le semestre 1.*
🎧 *Écoutez et notez les horaires.*

Groupe B - Semestre 1

Lundi	Mardi	Mercredi	Vendredi
9h45-11h15 Expression écrite	Civilisation	Compréhension de l'oral	Option « Francophonie »
Expression orale	Grammaire	Expression orale	Lecture de presse
Grammaire	Vocabulaire	Multimédia	Compréhension de l'oral/Expression orale
Option « Cinéma »	17h-18h30 Option « Français de l'entreprise »		Expression écrite

c) *Cet emploi du temps change un peu au semestre 2.*
🎧 *Écoutez l'annonce des changements et reconstituez l'emploi du temps du semestre 2.*

Groupe B - Semestre 2

Lundi	Mardi	Jeudi	Vendredi
9h45-11h15 Expression écrite			
	17h-18h30 Option « Francophonie »		

Comparez vos réponses avec votre voisin.

3] Horaires

a) 🎧 *Écoutez et trouvez :*
- la destination d'Anne
- la raison de son voyage
- le nombre de jours
- l'heure de départ de Toulouse et l'heure d'arrivée à Montpellier.
- l'heure de départ de Montpellier et l'heure d'arrivée à Toulouse.

Deux collègues discutent :

ANNE : Mon ordinateur ne marche pas. Tu peux regarder les horaires de train pour moi ? Je vais à Montpellier jeudi.

BERNARD : Attends. Alors www.sncf.com*. Donc on dit jeudi 16 février. Départ à quelle heure ? 7 heures ?

ANNE : Oui.

BERNARD : Retour ?

ANNE : 6 heures et demie, 7 heures.

BERNARD : 16 février, retour 18 h 30. Voilà. Alors, départ 8 h 15, arrivée 10 h 30.

ANNE : 8 h et quart ? Y a rien plus tôt ?

BERNARD : Je regarde. Y a 6 h 40, arrivée 9 h 30. C'est plus long, non ?

ANNE : Oui, mais 9 heures et demie, ça va, 10 heures et demie, c'est trop tard. La réunion commence à 10 h. Pour le retour, qu'est-ce que tu as ?

BERNARD : Alors, retour 18 h 20 ou 21 h.

ANNE : 6 h 20, arrivée vers 8 h et demie ?

BERNARD : 20 h 35, oui.

ANNE : C'est bon. Tu peux faire la réservation pour moi ?

BERNARD : OK.

ANNE : Merci.

*SNCF : Société Nationale des Chemins de Fer

b) 🎧 *Écoutez encore une fois et complétez.*

Anne utilise la forme familière	Bernard utilise la forme officielle
6 h et demie, 7 heures	18 h 30

c) 👁 *Lisez et prononcez les horaires suivants selon les deux formes.*

Exemple : 5 h 15 ➡ cinq heures quinze ou cinq heures et quart.
- 5 h 30 – 5 h 45
- 10 h 30 – 10 h 40 – 10 h 55
- 13 h 15 – 17 h 15 – 23 h 15
- 12 h 30 – 12 h 50 – 0 h 30

Activités CE 1, 2, 3   Activité FD 1

Demander l'heure

Quelle heure est-il ?
Il est quelle heure ?
Vous avez l'heure ?

Donner des horaires

La forme familière et la forme officielle

Midi	12 h 00	douze heures
Midi cinq	12 h 05	douze heures cinq
Une heure et quart	13 h 15	treize heures quinze
Deux heures vingt	14 h 20	quatorze heures vingt
Trois heures de l'après-midi	15 h 00	quinze heures
Dix heures du matin	10 h 00	dix heures
Dix heures du soir	22 h 00	vingt-deux heures
Minuit	00 h 00	zéro heure

*Je travaille **de huit heures à midi**.*
*Je déjeune **entre midi et deux heures**.*
*Je quitte mon travail **vers six heures**.*
*Je ne rentre pas **avant sept heures du soir**.*
*Je ne rentre pas **après sept heures et demie**.*
*Je me lève **tôt** le matin et je me couche **tard** le soir.*

Verbes pronominaux

Se lever / se coucher
Je me lève / je me couche
Tu te lèves / tu te couches
Il se lève / il se couche

4] Passé composé

a) 🎧 *Écoutez : Trois ans, sept déménagements !*

DELPHINE : En trois ans, j'ai déménagé sept fois !

KARINE : Tu es folle !

DELPHINE : Ben, d'abord, j'ai habité un super appartement avec Thomas dans un quartier chic et puis j'ai voulu habiter un quartier plus animé. On a changé pour un plus petit appartement dans le quatrième arrondissement. Avec une vue, superbe !

KARINE : Alors pourquoi tu as encore déménagé ?

DELPHINE : Parce que j'ai quitté mon copain. J'ai trouvé un tout petit studio dans le quartier chinois. 16 mètres carrés …

KARINE : Donc trop petit !

DELPHINE : Oui, six mois après j'ai visité un superbe appartement dans le même quartier, très grand, trop grand, et très cher. J'ai habité là quatre mois.

KARINE : Seulement ? Pourquoi ?

DELPHINE : Ben … J'ai rencontré Olivier, et j'ai habité chez lui, mais c'était trop petit. On a visité un très très grand appartement dans le troisième, à côté d'un parc. On a déménagé. Et puis, la nature, les oiseaux, les arbres… on a décidé d'habiter à la campagne.

KARINE : Vous avez encore changé ?

DELPHINE : Oui, mais maintenant on est très bien, on a une grande maison à la campagne et on ne parle plus de déménagement.

KARINE : Oui, enfin… jusqu'au prochain !

b) *Complétez ce tableau pour les sept déménagements.*

Logement	Où ?	Seule ? Avec qui ?
1. un super appartement	quartier chic	avec Thomas
2.		
3.		
4.		
5.		
6.		
7.		

c) *Relevez tous les passés composés du dialogue.*

Quand utilise-t-on le passé composé ? Comment se forme le passé composé ?

1	2
.... + ...	

d) *Mettez ces phrases au passé composé.*

1. Nous changeons de logement. 2. Ils déménagent. 3. Tu visites des appartements. 4. Vous changez d'adresse. 5. Je parle à la secrétaire. 6. Elles regardent la télé. 7. Je partage un appartement. 8. On déménage.

Activités CE 4, 5

e) *Cherchez dans le tableau des conjugaisons les passés composés des verbes suivants.*

1. Je veux aller à la mer. 2. Il prend le bus. 3. Il vend des vêtements. 4. Tu lis un magazine. 5. Vous comprenez ?

5] Logement

a) 👁 *Observez le dessin.*

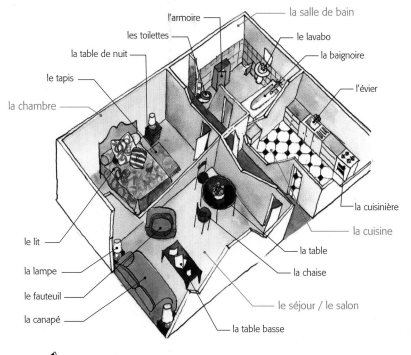

l'armoire
la salle de bain
les toilettes
le lavabo
la table de nuit
la baignoire
le tapis
l'évier
la chambre
le lit
la cuisinière
la lampe
la cuisine
le fauteuil
la table
la canapé
la chaise
le séjour / le salon
la table basse

b) 🖊 *Par deux. Dessinez seul votre chambre ou votre salon. Sans montrer votre dessin, faites dessiner votre pièce à votre voisin.*

c) 👁 *Lisez ces petites annonces.*

> **BREST** 440 euros
> Part. Loue T2 50 m² neuf.
> Cuis. aménagée, salon clair,
> cave, prox. parking gratuit.
> **LIBRE 01/07**

> ■ Loue pr 2 mois meublé 2
> pièces 28 m² rue Cail **Paris** 10ᵉ,
> chambre, séjour coin cuis., sdb
> baignoire, prise tv, tél., idéal pr
> couple. **Loyer : 600 euros cc.**
> Tél. : 06 64 51 22 57

d) *Expliquez.*

Exemple : Prox. ⟹ proximité (près de)

sdb. ⟹		part. ⟹	
ch. ⟹		fac. ⟹	
cuis. ⟹		ds. ⟹	
ptite. ⟹		rés. ⟹	
tél. ⟹		pr. ⟹	
tv. ⟹		cc. ⟹	

`Activités CE 6, 7`

Rez-de-chaussée, premier, deuxième, troisième étages… avec ou sans ascenseur.

3ᵉ étage
2ᵉ étage
1ᵉʳ étage
Rez- de-chaussée

`On`

On = nous

Demain on va à Lille en train.

On = tout le monde

En général, quand on est en retard, on s'excuse.

> Loue studio – 25m² centre ville
> de **Rennes**. 422 euros. Prox.
> bus métro. Lit, bureau, table,
> armoire, ptite cuis. avec frigo,
> sdb douche, lavabo.
> **Tél : 06 11 17 89 63**

> **Lattes** – Languedoc Roussillon
> Proche Fac Richter, app. F3 55m²,
> 1 cuis., 1 sdb, 1 chambre 9m²,
> 1 séjour 14m², 1 salon 9m².
> Ds rés. calme, parking privé.

6] Départ

a) 👁 *Lisez cette petite annonce.*

> ## CAUSE DÉMÉNAGEMENT, VENDS
> Télé neuve **100 euros**
> Mini-four **20 euros**
> Mini-frigo **30 euros**
> Couette **10 euros**
> Cafetière électrique **10 euros**
> Lampe **5 euros** Bureau **20 euros**

b) *Cochez/soulignez la bonne réponse.*

C'est une petite annonce :
- ❏ de recherche d'appartement/d'offre d'appartement
- ❏ de cours particuliers
- ❏ de vente/d'achats d'objets

Qui vend ?
- ❏ une famille
- ❏ un étudiant

c) 🖊 *À vous. Écrivez une petite annonce pour vendre vos objets, vos meubles.*

7] [õ] [ã] [ɛ̃]

🎧 *Écoutez et cochez le ou les son(s) entendu(s).*

Exemple : le grand logement

> [õ] : mon [ã] : dans [ɛ̃] : pain/un

	1	2	3	4	5	6	7	8	9	10
[õ]										
[ã]	X									
[ɛ̃]										

8] Météo et vie quotidienne

a) 👁 *Quel temps fait-il ? Regardez.*

Il pleut. Il fait beau/Il fait soleil. Il fait chaud. Il neige. Il y a du vent. Il ne fait pas beau. Il fait froid.

Activité CE 9

b) *Lisez.*

Quand il pleut, Frank va travailler en bus, et quand il fait beau, il se déplace en rollers.

Quand il fait beau, il va au square avec les enfants, après l'école. Quand il fait froid ou quand il pleut, ils rentrent directement à la maison.

c) *Comme Frank, expliquez l'influence du temps sur votre vie quotidienne.*

Cela change :
- vos moyens de transport ? (en bus, en métro, à pied, en vélo, en rollers)
- vos soirées ? (à la maison, au cinéma, une promenade en ville)
- vos activités après les cours ? (au café, une promenade, un retour rapide à la maison, une visite à des amis)

9 Pronoms compléments directs

On la voit, on la veut, on l'achète.

a) *Qu'est-ce que c'est ? Complétez.*

1. On **la** voit, on **la** veut, on **l'**achète. la, l' = ...

2. On **les** met quand il y a beaucoup de soleil : ....

3. On **le** prend quand il pleut : ....

b) *Cochez les bonnes réponses.*

Il **l'**aime, il **l'**achète, il **le** boit.   Il **l'**aime, il **l'**achète, il **la** boit.

☐	le coca	☐
☐	l'eau minérale	☐
☐	le jus d'orange	☐
☐	la bière	☐
☐	la limonade	☐
☐	l'apéritif	☐

c) *À vous. Par deux, imaginez des devinettes.*

Exemple : On les ouvre le matin et on les ferme le soir.

➡ les yeux, les volets

Activité CE 8   ▶ PG 5c

Passé composé

La plupart des verbes se conjuguent avec *avoir*.

Verbes en -er :
Avoir + participe passé en é
Parler

J'**ai parlé**
Tu **as parlé**
Il/elle/on **a parlé**
Ils/elles **ont parlé**
Nous **avons parlé**
Vous **avez parlé**

Participes passés

Avoir → eu
J'**ai eu** mon examen.

Être → été
Tu **as été** malade.

Faire → fait
Il **a fait** ses exercices.

Autres verbes en -i, -is,-it, -u
Il **a dit**, il **a fini**, il **a compris**, il **a connu**

Avec la négation ne/n'...pas
Je **n'**ai **pas** fait mon lit.

➡ Tableau des conjugaisons, page 104

Les quatre saisons

l'automne, l'hiver,
le printemps, l'été

Les douze mois de l'année

janvier, février, mars, avril, mai, juin, juillet, août, septembre, octobre, novembre, décembre

Verbes à construction directe
J'aime le lait.

Verbes à construction indirecte
Je parle à Sophie.

Pronoms compléments directs

le/la/les
le/la + voyelle ou h muet = l'

On { la / le } veut, on l'achète.

10] Échanges

a) 👄 *Racontez à votre voisin une de vos journées dans votre pays (travail, études…).*

b) 👄 *Vous faites un stage de langue. Imaginez votre emploi du temps idéal.*
a) Avec 10 heures de cours par semaine
b) Avec 20 heures de cours par semaine
Présentez-le oralement à votre voisin. Expliquez vos choix.

11] Horaires de piscine

a) 👁 *Lisez ce document.*

Bienvenue au Centre nautique

Place Gaillard-Romanet 89000 Auxerre

Un bassin olympique de 50 mètres, une pataugeoire, un bel espace verdoyant pour les pique-niques (en été) … Sport, repos et détente sont au rendez-vous.

Tarifs : renseignements au 03 86 81 06 66

Horaires du 19 septembre 2006 au 10 juin 2007 inclus :
■ Lundi : 11 h à 14 h - 17 h à 20 h
■ Mardi : 11 h à 14 h - 16 h à 20 h 30
■ Mercredi : 11 h à 19 h
■ Jeudi : 11 h à 14 h - 16 h à 20 h
■ Vendredi : 11 h à 20 h 30
■ Samedi : 12 h à 18 h
■ Dimanche : 9 h à 13 h

b) 🎧 *Peuvent-ils aller à la piscine ? Écoutez et cochez la bonne réponse.*

	possible	impossible
1		
2		
3		
4		

c) 👄 *Comparez vos réponses avec votre voisin et justifiez-les.*

12] Rendez-vous chez le médecin

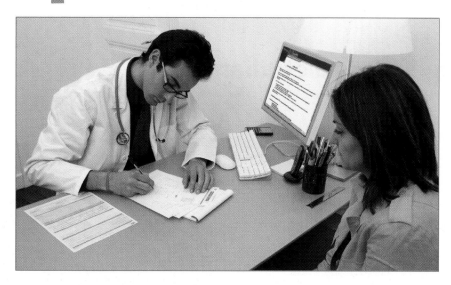

a) 🎧 *Écoutez les deux dialogues et relevez les informations.*

	Dialogue 1	Dialogue 2
Raison de la visite chez le médecin		
Le rendez-vous est-il urgent ou non ?		
Qui propose le moment du rendez-vous : la secrétaire ? le patient ?		
Le patient accepte-t-il la proposition immédiatement ? Si la réponse est non, expliquez.		
Identité du patient : quelles informations demande la secrétaire ?		

b) 🖊 *Écrivez les phrases que vous entendez dans les dialogues 1 et 2.*

– la phrase de la secrétaire pour prendre contact : ....

– la phrase du patient pour demander le rendez-vous : ....

– la phrase du patient pour accepter le rendez-vous : ....

– la phrase de la secrétaire pour demander l'identité : ....

13] Jeux de rôles

👄 *Par deux. Un étudiant prend un rendez-vous chez le dentiste.*
Jouez deux situations :
1. L'étudiant a le temps. C'est une visite de contrôle.
2. Il a très mal, c'est urgent. Il veut un rendez-vous tout de suite. Le dentiste a déjà beaucoup de travail.

vivre en français

14 Logements d'étudiants

a) 👁 *Lisez ces deux témoignages d'étudiants.*

Patrice

Pour trouver un logement, j'ai cherché « foyers » dans l'annuaire. J'ai trouvé plusieurs adresses. J'ai choisi un quartier proche de l'université, et j'ai téléphoné. J'ai eu une chambre immédiatement. Cela ressemble aux résidences universitaires : une chambre de 9m², avec bibliothèque, armoire, lit, frigo et un lavabo. Les douches et les toilettes sont collectives à l'étage. Il y a aussi 2 cuisines collectives par étage. C'est 242 euros par mois, j'ai une APL* de 140 euros, donc je paie 100 euros par mois. Il y a une salle de télévision et une salle Internet. Les occupants sont des étudiants et des jeunes travailleurs, et c'est assez cosmopolite. Comme dans toutes les résidences de jeunes, c'est un peu bruyant, mais ça va.

Alexandre

Je fais mes études à Dijon. J'habite dans un appartement avec 2 autres étudiants. J'ai cherché sur Internet, sur des sites comme apartager.com. J'ai trouvé 3 propositions intéressantes, j'ai pris rendez-vous, j'ai visité, et j'ai choisi. J'ai une chambre de 10-12m². Le reste de l'appartement est commun, la cuisine, la salle de bains, le séjour. On paie chacun 250 euros par mois, avec une APL* de 135 euros, et on partage l'eau et l'électricité. C'est bien et c'est pas cher.

*APL (Aide Personnalisée au Logement) : partie du loyer payée par l'État.

b) 👄 *Discutez avec votre voisin.*

– Donnez un nom aux deux types de logement décrits par les étudiants.
– Quelle situation préférez-vous ? Pourquoi ?

Activités CE 10,11,12   Activités FD 2, 3

15] Emploi et activité

a) 👁 *Lisez les textes.*

Michèle est mère au foyer. Le matin, elle s'occupe de ses deux enfants et les emmène à l'école à 8 h et demie. Elle rentre ensuite à la maison, et fait un peu de ménage. Le lundi et le vendredi, elle va au marché vers 10 h. À 11 h et demie, elle va chercher les enfants à l'école. Elle mange avec eux. Denis, son mari, ne rentre pas à midi. À 13 h 30, les enfants retournent à l'école, et Michèle est libre jusqu'à 16 h 30. Elle va au cinéma avec une amie, ou fait des courses. Tous les mardis après-midi, elle va à la piscine, et le jeudi matin à la gymnastique. Le mercredi, les enfants ne vont pas à l'école. Elle accompagne son fils au cours de piano et sa fille au judo.

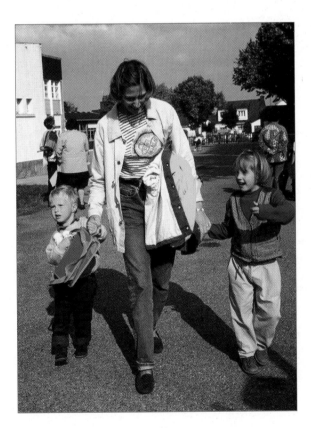

Christèle est au chômage depuis 4 mois. Son mari part travailler tôt le matin. Elle s'occupe de sa fille et l'emmène à l'école à 8 h et demie. Ensuite, elle lit les petites annonces sur Internet pour chercher du travail. Elle répond à des annonces, envoie des lettres, téléphone. À midi, elle mange seule. Sa fille mange à l'école. L'après-midi, elle est chez elle. Elle regarde un peu la télévision. Elle s'ennuie. Parfois, elle va se promener. Le mercredi, c'est sa mère qui s'occupe de sa fille.

b) 👄 *Discutez avec votre voisin pour répondre aux questions.*

– Quels sont les points communs entre Michèle et Christèle ?
– Quelle est la différence importante entre elles ?
– Pourquoi Michèle a-t-elle plus d'activités que Christèle ?
– Pourquoi la fille de Christèle n'est-elle pas avec elle à midi et le mercredi ?

a) 🎧 *Écoutez et lisez.*

Chant pour la belle saison

(...)

J'aime et je chante **le printemps** fleuri.

J'aime et **je chante** **l'été** avec ses fruits.

J'aime et je chante la joie de vivre.

J'aime et **je chante** **le printemps**.

J'aime et je chante **l'été**, saison dans laquelle je suis né.

Robert Desnos, extrait de « Chant pour la belle saison »
in *Mines de rien* recueilli dans *Destinée arbitraire*, © Éditions Gallimard

b) *À vous. **Imaginez un poème.***

J'aime et je chante...

Au fil des mois

En **janvier**, on se dit bonne année

En **février**, on admire les montagnes enneigées

En **mars**, l'hiver passe

En **avril**, poisson d'avril !

En **mai**, c'est le muguet

En **juin**, c'est l'été qui revient

En **juillet**, tout est gai

En **août**, tout le monde est sur les routes

En **septembre**, on rentre

En **octobre**, la nature est sobre

En **novembre**, on tremble

En **décembre**, tous les jours se ressemblent.

c) 🎧 *Écoutez et lisez.*

d) ✏️ *Dans les nuages, représentez les mois de votre choix.*

Communication

- Exprimer un jugement positif ou négatif
- Décrire en donnant son avis
- Parler de ses habitudes sportives et culturelles

Outils linguistiques

- Le passé composé avec *être*
- Le comparatif
- Les pronoms toniques
- La question avec inversion
- Le futur proche
- Les loisirs
- Les équipements sportifs et culturels
- Les expressions du goût
- Les types de logement
- Les voyelles [u] et [y]

Cultures

- Les échanges de maisons
- Les opinions des internautes sur les villes
- Les visites insolites
- Les sports extrêmes
- Les collectionneurs

découvrir

1] Rallye

Aller dans un quartier, répondre aux questions, découvrir les loisirs du quartier

a) *Lisez les étapes de ce parcours dans Lyon. Tracez l'itinéraire sur le plan.*

Étape 1 Rendez-vous rue des Tables Claudiennes. Un lieu propose trois loisirs : donnez le nom de ces loisirs.

Étape 2 Allez dans la rue Leynaud. Quel est le nom du restaurant rouge ?

Étape 3 Allez vers le métro Hôtel de Ville. Dans la rue Joseph Serlin, les gens font la queue. Pourquoi ?

Étape 4 Vous allez place des Terreaux. Où peut-on voir une exposition de peinture ?

Étape 5 Prenez la rue de Constantine jusqu'au quai de la Pêcherie le long de la rivière. Que font les gens ?

Étape 6 Rendez-vous à la place Louis Pradel. Quel est le programme de l'opéra ?

b) 👁 *Par deux. Remettez les photos dans l'ordre et répondez aux questions.*

Étape	Photo	Réponse
1		
2		
3		
4		
5		
6		

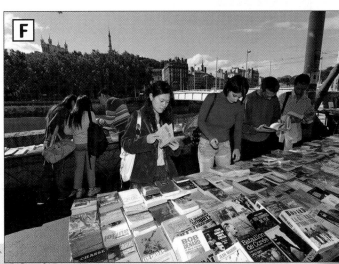

2] Avoir ou être ?

🎧 *Écoutez et repérez les verbes qui se conjuguent avec être au passé composé.*

Á la gare

PHILIPPE : Je suis fatigué ! Je t'ai cherché partout. Je suis entré dans la gare, je t'ai cherché sur le quai. Comme il n'y avait personne, je suis allé à l'accueil. J'ai demandé des informations sur le train.

GILLES : C'est ma faute, je me suis trompé de train. Le train de 13 h ne s'arrête pas dans cette gare.

PHILIPPE : Alors, qu'est-ce que t'as fait ?

GILLES : Le train est passé mais ne s'est pas arrêté. Évidemment, je suis resté dans le train. Je suis descendu à la gare suivante. J'ai attendu pendant une demi-heure et je suis monté dans un autre train. Il est parti à 14 h. Il est 14 h 30 et je suis là.

PHILIPPE : Heureusement que tu m'as appelé. Maintenant, c'est bon, tu es enfin arrivé.

Á la radio

L'ANIMATEUR RADIO : Bienvenue à notre jeu radio pour gagner un voyage en Tunisie. Bonjour Pierre.

PIERRE : Bonjour.

L'ANIMATEUR RADIO : Alors Pierre, vous habitez à Reims, c'est ça ?

PIERRE : Oui, c'est ça.

L'ANIMATEUR RADIO : Il fait beau à Reims ?

PIERRE : Euh aujourd'hui, oui, un temps superbe.

L'ANIMATEUR RADIO : Très bien, alors Pierre voici la question du jour : Quand est mort François Mitterrand ?

PIERRE : Attendez, euh 1995, non en 96, 96 c'est ça.

L'ANIMATEUR RADIO : Et c'est gagné !!

PIERRE : Oh là là !!

L'ANIMATEUR RADIO : Bravo Pierre, et vous savez quand il est né ?

PIERRE : Ben ça… non.

L'ANIMATEUR RADIO : En 1916 ! Mais c'est pas grave car vous avez gagné un voyage d'une semaine en Tunisie pour deux personnes !

PIERRE : Merci, merci. C'est super. Merci !

Activités CE 1, 2, 3, 4 ▶ **PG 11**

3] Loisirs

a) 👁 *Observez ces expressions.*

– Aller au cinéma – à la piscine – au théâtre – au concert – à la campagne – au restaurant – chez des amis
– Visiter un musée – un monument – un quartier
– Faire du sport – de la musique – des jeux vidéos
– Regarder la télévision – Lire – Se promener

b) 🎧 *Écoutez. De quels loisirs parlent-ils ? Complétez le tableau.*

Lui	Elle	Eux

> **Faire du/de l'/de la** + tous les sports
> *faire du foot, faire de l'athlétisme, faire de la natation*
> **Jouer à** : se dit uniquement pour les sports avec une balle ou un ballon
> *jouer au foot* mais *faire du vélo*
>
> **Pour la musique :**
> **Jouer du/de l'/de la** + instrument de musique
> *jouer du piano, jouer de la guitare, jouer de l'accordéon.*

c) *Complétez le tableau. Pour chaque sport, écrivez la ou les expression(s) complète(s).*

Le badmington – le tennis – le volley – le kayak – le parapente – le bowling – le kung-fu – la course à pied – le saut en hauteur – le ping-pong – le ski

jouer /faire	faire (uniquement)
jouer au basket / faire du basket	faire de la natation

La natation

La randonnée

L'escalade

La pétanque

d) *Demandez à votre voisin ce qu'il a fait ce week-end.* **Activité CE 5**

analyser et **p**ratiquer

4] Vous aimez ?

Le centre Beaubourg

a) 🎧 *Écoutez et lisez.*

Beaubourg, vous aimez ?
– Ah oui, j'aime beaucoup !
– Bof, c'est un peu bizarre.
– Mouais, c'est pas mal.
– C'est nul !

Et le viaduc de Millau ?
– Magnifique ! Incroyable !
– Superbe !

Vous aimez la Bretagne ?
– Ah, moi j'adore cette région.
– Pff, comme ça …
– Hmm, plus ou moins, ça dépend.

b) *Classez les réponses : elles sont positives ? Neutres ? Négatives ?*

+	=	–

Le viaduc de Millau

c) *Lisez.*

La place du Capitole

C'est la place la plus connue et la plus belle de Toulouse. Elle est grande, les bâtiments sont superbes. La nuit, c'est vraiment sublime parce qu'il y a beaucoup de lumières, c'est animé. Tout le monde se donne rendez-vous là-bas. Le problème, c'est le samedi : il y a trop de monde. Et moi, je préfère quand c'est plus calme, c'est plus sympa. Et puis aussi, il n'y a pas assez d'arbres, j'aime bien la nature en ville !

Titaka25@wanadoo.fr

d) ✎ *À vous. Décrivez et donnez votre avis sur une place que vous connaissez dans la ville.*

5] Toi et moi

🎧 *Écoutez et complétez.*

1. – Qu'est-ce que vous avez fait hier ?
   – _____ ? On a pris un verre avec des copains.
   Et _____ ?
2. – Je suis allé au musée hier.
   – _____, au musée ? Tout seul ? Sans ta copine ?

– Oui, je ne suis pas toujours avec _____ ! Et toi ?
   – _____ je suis allé au cinéma.
3. – Regarde, c'est _____, mon prof de danse !
4. – Qui a fini tout le chocolat ?
   – C'est pas _____, c'est _____ !

Activité CE 6

6] Comparons

a) 👁 *Observez la construction.*

La randonnée est un sport **plus tranquille que** le karaté.
La pétanque est **moins dangereuse que** la boxe.
La promenade est **aussi agréable que** la baignade.
Le cricket est **aussi intéressant** mais **moins connu que** le football.

b) ✎ *Comparez.*

– **le métro et la voiture** : rapide – polluant – cher – économique – confortable – pratique

– **Le dictionnaire papier et le dictionnaire électronique** : petit – léger – complet – cher – utile

c) *Pays d'Europe. À partir du tableau, faites deviner un pays à votre voisin.*

Exemple : Il est plus peuplé que l'Irlande mais moins que le Danemark ? La Finlande.

Pays	Population (en milliers)
Allemagne	82 360
Autriche	8 140
Belgique	10 292
Danemark	5 367
Espagne	40 428
Finlande	5 195
France	59 343
Grèce	10 596
Irlande	3 873
Italie	58 018
Luxembourg	447
Pays-Bas	16 101
Portugal	10 303
Royaume-Uni	60 075
Suède	8 910

Passé composé (suite)

Il se forme avec **être** pour les verbes suivants :
– **naître/mourir**
– **arriver/partir/retourner**
– **passer/rester**
– **aller/venir**
– **monter/descendre**
– **entrer/sortir**
– **tomber**

Je suis tombé(e).

Et aussi avec tous les verbes pronominaux :
se lever, se laver, s'habiller, se préparer, se dépêcher…

Elle s'est levée à 8 heures.

Accord avec le sujet

Je suis arrivé(e)
Tu es arrivé(e)
Il est arrivé
Elle est arrivée
On est arrivé(e)(s)
Ils sont arrivés
Elles sont arrivées
Nous sommes arrivé(e)s
Vous êtes arrivé(e)s

Le féminin et le pluriel ne se prononcent pas mais s'écrivent :

Il est sorti
Elle est sortie
Ils sont partis
Elles sont parties

Prononciation : liaisons facultatives

Je suis allé *ou* je suis_allé
Tu es allé *ou* tu es_allé
Il est allé *ou* il est_allé
Elle est allée *ou* elle est_allée
On est allé *ou* on est_allé
Ils sont allés *ou* ils sont_allés
Elles sont allées *ou* elles sont_allées
Nous sommes allés *ou* nous sommes_allés
Vous êtes allés *ou* vous êtes_allés

analyser et pratiquer

7] Questions

🎧 *Écoutez les questions. Notez-les dans la colonne 1 et transformez-les en questions formelles dans la colonne 2.*

Exemple : – Vous avez quel âge ? Quel âge avez-vous ?

– Les cours se passent où ? Où se passent les cours ?

La première forme s'utilise à l'oral, la seconde plutôt à l'écrit ou dans une conversation assez formelle.

Questions spontanées	Questions formelles
1. Vous habitez où ?	Où habitez-vous ?
2.	
3.	
4.	
5.	
6.	

(Activité CE 7) (Activités FD 1, 2, 3, 4, 5) (➤ PG 17)

8] Futur proche

a) 🎧 *Écoutez et relevez les verbes au futur proche.*

Exemple : « Dépêche-toi, le train va partir ! »

1	va partir
2	
3	
4	
5	
6	

b) *Complétez les phrases.*

Exemple : D'habitude, je passe mes vacances dans les Alpes, mais cette année je vais découvrir l'Italie.

D'habitude, le dimanche, je fais de la randonnée, mais ce week-end _____

D'habitude, on fête le Jour de l'An au restaurant avec des amis, mais cette année _____

En général, les enfants se couchent tôt, mais ce soir, c'est la fête de la musique, ils _____

(Activité CE 8) (➤ PG 10)

9] [y] [u]

a) 🎧 *Écoutez et cochez le ou les sons entendu(s).*

➤ [y] : tu [u] : tout

Exemple : C'est le début.

	1	2	3	4	5	6	7	8	9	10	11	12
[y]	X											
[u]												

b) 🎧 *Réécoutez et répétez.*

10] www.echangede maison.com

Où voulez-vous passer vos prochaines vacances ?

🖱 **En trois clics consultez les offres**
et contactez votre futur partenaire d'échange de maisons.

a) 👁 *Lisez ces annonces :*

1
Biarritz, grande maison 5 minutes des plages, très bien meublée, pour 6 personnes, immense jardin. ET à **Montréal**, maison avec piscine. Échange contre appartement à Paris pour 4 personnes (mi juillet, fin août)

jacques@videotron.ca

2
Nous souhaitons échanger notre grand studio de 32 m^2 à **Paris** pour deux personnes contre un logement dans les Pyrénées-Atlantiques. Libre d'août à novembre.

kinie@wanadoo.fr

3
Jeunes retraités proposent pour un échange agréable une jolie petite maison située à 10 km de **Montréal**, possible pour couple avec enfants, animaux acceptés. Étudie toute proposition dans belle ville française.

Rubiton@laposte.net

4
Échange maison neuve à **Tarbes** face aux Pyrénées contre deux semaines (du 1er au 15 août) à Paris pour être près de ma famille en soins à l'hôpital.

vanara@yahoo.fr

5
Je cherche à échanger de fin mai à fin juin, 2 pièces pour 4 personnes (couple plus deux enfants), tout confort à **Paris** dans une résidence calme, parking, terrasse, contre maison ou appartement à Montréal.

Daniel.taron@hotmail.com

6
Je voudrais échanger mon appartement situé à **Paris**, 3 pièces, 71 m^2 dans une résidence de standing, garage, proximité métro. Contre maison, au Québec, pour 4 personnes en août.

Philippek7@yahoo.ca

b) *Par deux, trouvez qui va échanger avec qui et complétez ce tableau.*

1	2	3	4	5	6

Activité CE 10 Activité FD 6

11] Place du Capitole

a) 👁 *Lisez les messages.*

La place du Capitole à Toulouse

www.maville.fr

Apple ▾   Amazon France   eBay France   Yahoo!   Informations (1645) ▾

Jackbox 18	**Vivant** C'est sympa, c'est très vivant, mais est-ce vraiment très beau ? La place du Capitole accueille l'hôtel de ville (le capitole) et de nombreuses terrasses de cafés et restaurants. Il y a beaucoup de monde mais le site n'est pas magnifique. En revanche, c'est vraiment au cœur de la zone piétonne qui est très agréable à découvrir.
Tartinette	**Superbe** La place illuminée de nuit est vraiment sublime et puis c'est sympathique de se donner rendez-vous sur son propre signe astro ! Tous les bars sont à proximité et les commerces aussi, le petit jardin à côté est vraiment adorable... c'est LA place de Toulouse !
Cinécinoche	**Ma première impression** Pas d'herbe, pas d'arbres, rien que des pierres. Quand la place est vide, il y manque une certaine chaleur, un peu de fantaisie, même si les bâtiments sont magnifiques.
Anakin 1	Place du Capitole, il s'y passe beaucoup de choses, des rencontres, des passages à vélo ou à pied et même en roller. La croix catalane représentée au milieu est très belle avec les 12 signes du zodiaque. Et le soir, l'éclairage est magnifique.
Josebove	Centre ville de Toulouse ! Cette place est vraiment superbe, mais pourquoi un MacDo ?

Activité CE 11

b) ✎ *Complétez le tableau.*

Nom	Ils aiment/Ils n'aiment pas ?		Pourquoi ?	
	+	**-**	**+**	**-**
Jackbox 18	X		sympa/vivant/terrasses de café/resto/ beaucoup de monde/au cœur de la zone piétonne/agréable	vraiment beau ? site pas magnifique
Tartinette				
Cinécinoche				
Anakin 1				
Josebove				

c) *Maintenant, comparez vos réponses avec votre voisin.*

d) *Relevez les loisirs cités dans ces témoignages.*

Exemple : Jackbox 18 ➡ aller au café et au restaurant

e) *Faites la liste des éléments qui rendent un quartier agréable pour des Français.*

Exemple : les terrasses de cafés

12] Faites passer !

Par deux, choisissez un lieu connu de votre ville. Imaginez que vous êtes sur un forum.
Donnez votre avis sur ce lieu et passez votre feuille à votre voisin qui continue le forum.

Exemple : La basilique ➡ J'adore, elle est belle, on peut voir toute la ville…

13] Insolite

a) 🎧 *Écoutez et répondez.*

Laurent :

1. Relevez 2 expressions qui signifient « endroit insolite ».
2. Dans le magasin de Laurent, on peut ....
3. Faites un schéma simple du magasin de Laurent (dessinez ou donnez des indications).

Arturo :

4. Arturo va à l'université et visite la ville avec le vélo'v. Vrai ou faux ?

b) *Par deux, racontez une visite insolite que vous avez faite (en voyage ou dans votre pays).*

Activité CE 9

14] Sports extrêmes

a) 👁 *Lisez.*

Si vous vous ennuyez, si vous trouvez que votre sport est trop tranquille, si vous avez besoin d'émotions plus fortes, alors, pourquoi ne pas faire un sport extrême ?

Le kite-surf : c'est un sport qui se pratique sur les plages. La personne est sur une petite planche de surf, sur l'eau et elle est tirée par un cerf-volant (*kite* signifie en anglais cerf-volant).

Le roller tout terrain : avec ces rollers, on peut aller où on veut. Une vraie aventure !

Le saut à l'élastique : pour les courageux qui n'ont pas peur du vide !

Les raids : en équipe, on peut faire des raids de différents niveaux mais il faut vraiment être sportif car certains raids durent 4 jours et il faut marcher, courir, faire du canoë, faire du vélo, escalader, s'orienter dans la nature. Bref être un sportif complet qui aime la nature !

1

2

3

4

b) ✒ *Écrivez le nom de chaque sport sous les photos.*

c) 👄 *Par deux, discutez.*

– Et vous ? Avez-vous déjà fait un sport extrême ?
– Quel sport extrême aimeriez-vous faire ?
– Quel est le nouveau sport le plus à la mode dans votre pays ?

15] Collectionneurs : loisir-passion

a) 👁 *Lisez le texte.*

Les collectionneurs sont des milliers, peut-être des millions. Il existe mille formes de collections : les objets rares, les plus courants, les objets d'art, les objets de tous les jours, les objets gratuits, les objets qui coûtent cher... On peut tout collectionner.

Philippe collectionne les boîtes de sardines. Il en a aujourd'hui 2500, et elles sont toutes différentes. Il en fait des expositions.

Jeanne, elle, a une collection de moulins à poivre. Elle a commencé à 15 ans. Les belles pièces coûtent assez cher. Elle les garde toutes, elle ne revend rien.

Marie a 19 ans et vit dans une famille de collectionneurs. Son grand-père collectionne les maquettes d'avions et de bateaux. Sa grand-mère collectionne les capsules de bouteilles, elle en a 18 000. Pour sa mère, ce sont les livres. Marie, elle, accumule les petites boîtes métalliques. « Au bout de toutes ces années, ils sont un peu l'histoire de notre vie », remarque Marie.

Pour Philippe, ce qui est essentiel dans la collection, ce n'est pas le prix de l'objet, c'est de découvrir une nouvelle pièce. Pour Jeanne, les collections permettent de faire de très belles rencontres avec d'autres collectionneurs. C'est le partage de la même passion.

b) *Répondez aux questions.*

- Quel intérêt chacun d'eux trouve-t-il dans cette activité ?
- Cette activité est-elle répandue chez vous ?
- Connaissez-vous des collectionneurs ?
- Quels types d'objets collectionnent-ils ?

à lire à dire

a) 🎧 *Écoutez et lisez.*

Les étudiants

Ruth aime le **luth**
Baoling joue au **bowling**
Felipe préfère la **randonnée**
Xi fait du **ski**
Hao aime le **restau**
Luba va au **cinéma**
Jintaro joue du **piano**
Annette surfe sur **Internet**
Ahmad fait de l'**escalade**
Et **Adrien**... ne fait **rien** !

b) *Par deux, essayez d'écrire un texte avec les prénoms des étudiants de la classe.*

Les Vacances

Bernard fait du jogging
Pour retrouver sa ligne
Brigitte fait des claquettes
Pour avoir l'air moins bête

Kévin leur p'tit garçon
Joue à la Play Station
Cyndie ado fofolle
N'a qu'un dieu : Biactol

Bernard va chez Henri
Le voisin qu'est gentil
Brigitte va chez Sophie
Qui est la femme d'Henri
Et ça, c'est comme ça

Ils parlent entre grands
De la pluie du beau temps
De l'Europe de plomberie
D'haricots de leur vie

Kévin joue mais sans l'son
À sa top Play Station
Cyndie et l'fils d'Henri
S'embrassent avec la langue

Refrain
C'est les vacances il fait beau
C'est l'été il fait chaud
C'est l'époque du melon
C'est la vie en location

Ce soir la lune est pleine
Brigitte et **Bernard** s'aiment
Brigitte veut faire l'amour
Bernard veut faire un tour

Ils vont donc faire un tour
Ils ne feront pas l'amour
C'est idiot c'est curieux, bah oui
Z'auraient pu faire les deux

Cyndie a un suçon
En dessous du menton
Brigitte inquiète le voit
Et lui parle du sida

Bernard emmène **Kévin**
À la pêche à la ligne
Dur de guetter l'bouchon
Avec la Play Station

(…)

© La crevette d'acier

c) 🎧 *Écoutez la chanson une première fois.*
– Est-ce que vous aimez cette chanson ? Pourquoi ?
– Quels instruments de musique reconnaissez-vous ?

d) 🎧 *Écoutez encore et échangez avec votre voisin.*
– Combien de personnes y a-t-il dans cette famille ?
– Relevez tous les loisirs de la famille.

à la découverte **des fêtes**

Communication
- Raconter des souvenirs
- Offrir/recevoir un cadeau
- Écrire des cartes
- Décrire les fêtes

Outils linguistiques
- L'imparfait
- Les pronoms compléments indirects
- *Depuis*
- Les mots et les couleurs
- Cadeaux : les formes rituelles
- Les étapes de la vie
- Les consonnes [s] [z]
- L'intonation expressive

Cultures
- Les fêtes et traditions françaises et francophones
- Les spécialités culinaires
- La symbolique des couleurs

découvrir

1] Les fêtes en France

a) 👁 *Observez les dates de ces fêtes françaises entourées sur le calendrier. Connaissez-vous ces fêtes ? Ces fêtes sont-elles célébrées dans votre pays ?*

2007

JANVIER — Les jours augmentent de 1 h 03
- L 1 JOUR DE L'AN
- M 2 s Basile
- M 3 s' Geneviève
- J 4 s Odilon
- V 5 s Edouard
- S 6 s Mélaine
- D 7 Epiphanie
- L 8 s Lucien
- M 9 s' Alix
- M10 s Guillaume
- J 11 s Paulin
- V 12 s' Tatiana
- S 13 s' Hilaire
- D 14 s' Nina
- L 15 s Rémi
- M16 s Marcel
- M17 s' Roseline
- J 18 s' Prisca
- V 19 s Marius
- S 20 s' Sébastien
- D 21 s' Agnès
- L 22 s Vincent
- M23 s Barnard
- M24 s Fr. de Sales
- J 25

FÉVRIER — Les jours augmentent de 1 h 30
- J 1 s' Ella
- V 2 Présentation
- S 3 s Blaise
- D 4 s' Véronique
- L 5 s' Agathe
- M 6 s Gaston
- M 7 s' Eugénie
- J 8 s' Jacqueline
- V 9 s' Apolline
- S 10 s Arnaud
- D 11 N.-D. Lourdes
- L 12 s Félix
- M13 s' Béatrice
- M14 s Valentin
- J 15 s Claude
- V 16 s' Julienne
- S 17 s Alexis
- D 18 s' Bernadette
- L 19 s Gabin
- M20 Mardi Gras
- M21 Cendres
- J 22 s' Isabelle
- V 23 s Lazare
- S 24 s' Modeste

MARS — Les jours augmentent de 1 h 48
- J 1 s Aubin
- V 2 s Charles le B.
- S 3 s Guénolé
- D 4 s Casimir
- L 5 s' Olive
- M 6 s' Colette
- M 7 s' Félicité
- J 8 s Jean de Dieu
- V 9 s' Françoise
- S 10 s Vivien
- D 11 s' Rosine
- L 12 s' Justine
- M13 s Rodrigue
- M14 s' Mathilde
- J 15 Mi-Carême
- V 16 s' Bénédicte
- S 17 s Patrice
- D 18 s Cyrille
- L 19 s Joseph
- M20 s Herbert
- M21 PRINTEMPS
- J 22 s' Léa
- V 23 s Victorien

AVRIL — Les jours augmentent de 1 h 40
- D 1 Rameaux
- L 2 s' Sandrine
- M 3 s Richard
- M 4 s Isidore
- J 5 s' Irène
- V 6 Vendredi saint
- S 7 s J.-Bapt. de la S.
- D 8 PÂQUES
- L 9 s Gautier
- M10 s Fulbert
- M11 s Stanislas
- J 12 s Jules
- V 13 s' Ida
- S 14 s Maxime
- D 15 s Paterne
- L 16 s Benoît-J.
- M17 s Anicet
- M18 s Parfait
- J 19 s' Emma
- V 20 s' Odette
- S 21 s Anselme
- D 22 s Alexandre

MAI — Les jours augmentent de 1 h 17
- M 1 FÊTE DU TRAVAIL
- M 2 s Boris
- J 3 ss Phil., Jacq.
- V 4 s Sylvain
- S 5 s' Judith
- D 6 s' Prudence
- L 7 s' Gisèle
- M 8 VICTOIRE 1945
- M 9 s Pacôme
- J 10 s' Solange
- V 11 s' Estelle
- S 12 s Achille
- D 13 Fête J.-d'Arc
- L 14 s Matthias
- M15 s' Denise
- M16 s Honoré
- J 17 ASCENSION
- V 18 s Eric
- S 19 s Yves
- D 20 s Bernardin
- L 21 s Constantin
- M22 s Emile
- M23 s Didier
- J 24 s Donatien
- V 25 s' Sophie
- S 26 s Bérenger
- D 27 PENTECÔTE
- L 28 L. DE PENTECÔTE
- M29 s Aymar
- M30 s Ferdinand
- J 31 Visitation

JUIN — Les jours augmentent de 0 h 14
- V 1 s Justin
- S 2 s' Blandine
- D 3 Fête des Mères/Trinité
- L 4 s' Clotilde
- M 5 s Igor
- M 6 s Norbert
- J 7 s Gilbert
- V 8 s Médard
- S 9 s' Diane
- D 10 Fête-Dieu
- L 11 s Barnabé
- M12 s Guy
- M13 s Antoine de P.
- J 14 s Elisée
- V 15 s' Sacré-Cœur
- S 16 s J.-F. Régis
- D 17 Fête des Pères
- L 18 s Léonce
- M19 s Romuald
- M20 s Silvère
- J 21 ÉTÉ
- V 22 s Alban
- S 23 s' Audrey
- D 24 s Jean-Bapt.
- L 25 s Prosper
- M26 s Anthelme
- M27 s Fernand
- J 28 s' Irénée
- V 29 ss Pierre, Paul
- S 30 s Martial

ÉTÉ : 21 JUIN

IMPEGA

2007

JUILLET — Les jours diminuent de 0 h 57
- D 1 s Thierry
- L 2 s Martinien
- M 3 s Thomas
- M 4 s Florent
- J 5 s Antoine
- V 6 s' Mariette
- S 7 s Raoul
- D 8 s Thibaut
- L 9 s' Amandine
- M10 s Ulrich
- M11 s Benoît
- J 12 s Olivier
- V 13 ss Henri, Joël
- S 14 FÊTE NATIONALE
- D 15 s Donald
- L 16 N.-D. Mt-Carmel
- M17 s' Charlotte
- M18 s Frédéric
- J 19 s Arsène
- V 20 s' Marina
- S 21 s Victor
- D 22 s' Marie-Mad.
- L 23 s' Brigitte
- M24 s' Christine
- M25 s Jacques
- J 26 ss Anne, Joachim
- V 27 s' Nathalie
- S 28 s Samson
- D 29 s' Marthe
- L 30 s' Juliette
- M31 s Ignace de L.

AOÛT — Les jours diminuent de 1 h 35
- M 1 s Alphonse
- J 2 s Julien-Eymard
- V 3 s' Lydie
- S 4 s J.-M. Vianney
- D 5 s Abel
- L 6 Transfiguration
- M 7 s Gaétan
- M 8 s Dominique
- J 9 s Amour
- V 10 s Laurent
- S 11 s' Claire
- D 12 s' Clarisse
- L 13 s Hippolyte
- M14 s Evrard
- M15 ASSOMPTION
- J 16 s Armel
- V 17 s Hyacinthe
- S 18 s' Hélène
- D 19 s Jean Eudes
- L 20 s Bernard
- M21 s Christophe
- M22 s Fabrice
- J 23 s' Rose de L.
- V 24 s Barthélémy
- S 25 s Louis
- D 26 s' Natacha
- L 27 s' Monique
- M28 s Augustin
- M29 s' Sabine
- J 30 s Fiacre
- V 31 s Aristide

SEPTEMBRE — Les jours diminuent de 1 h 42
- S 1 s Gilles
- D 2 s' Ingrid
- L 3 s Grégoire
- M 4 s' Rosalie
- M 5 s' Raïssa
- J 6 s Bertrand
- V 7 s' Reine
- S 8 Nativité N.-D.
- D 9 s Alain
- L 10 s' Inès
- M11 s Adelphe
- M12 s Apollinaire
- J 13 s Aimé
- V 14 La S' Croix
- S 15 s Roland
- D 16 s' Edith
- L 17 s Renaud
- M18 s' Nadège
- M19 s' Emilie
- J 20 s Davy
- V 21 s Matthieu
- S 22 s Maurice
- D 23 AUTOMNE
- L 24 s' Thècle
- M25 s Hermann
- M26 ss Côme, Dam.
- J 27 s Vinc. de Paul
- V 28 s Venceslas
- S 29 s Michel
- D 30 s Jérôme

AUTOMNE : 23 SEPTEMBRE

OCTOBRE — Les jours diminuent de 1 h 44
- L 1 s' Th. de l'E.-J.
- M 2 s Léger
- M 3 s Gérard
- J 4 s Fr. d'Assise
- V 5 s' Fleur
- S 6 s Bruno
- D 7 s Serge
- L 8 s' Pélagie
- M 9 s Denis
- M10 s Ghislain
- J 11 s Firmin
- V 12 s Wilfried
- S 13 s Géraud
- D 14 s Juste
- L 15 s' Th. d'Avila
- M16 s' Edwige
- M17 s Baudouin
- J 18 s Luc
- V 19 s René
- S 20 s' Adeline
- D 21 s' Céline
- L 22 s' Elodie
- M23 s Jean de C.
- M24 s Florentin
- J 25 s Crépin
- V 26 s Dimitri
- S 27 s' Emeline
- D 28 ss Simon, Jude
- L 29 s Narcisse
- M30 s' Bienvenue
- M31 s Wolfgang

NOVEMBRE — Les jours diminuent de 1 h 18
- J 1 TOUSSAINT
- V 2 Défunts
- S 3 s Hubert
- D 4 s Charles
- L 5 s' Sylvie
- M 6 s' Bertille
- M 7 s' Carine
- J 8 s Geoffroy
- V 9 s Théodore
- S 10 s Léon
- D 11 ARMISTICE 1918
- L 12 s Christian
- M13 s Brice
- M14 s Sidoine
- J 15 s Albert
- V 16 s' Marguerite
- S 17 s' Elisabeth
- D 18 s' Aude
- L 19 s Tanguy
- M20 s Edmond
- M21 Prés. Marie
- J 22 s' Cécile
- V 23 s Clément
- S 24 s' Flora
- D 25 Christ Roi
- L 26 s' Delphine
- M27 s Séverin
- M28 s Jacq. de la M.
- J 29 s Saturnin
- V 30 s André

DÉCEMBRE — Les jours diminuent de 0 h 16
- S 1 s' Florence
- D 2 Avent
- L 3 s Xavier
- M 4 s' Barbara
- M 5 s Gérald
- J 6 s Nicolas
- V 7 s Ambroise
- S 8 Imm. Concept.
- D 9 s P. Fourier
- L 10 s Romaric
- M11 s Daniel
- M12 s' Jeanne F.C.
- J 13 s' Lucie
- V 14 s' Odile
- S 15 s' Ninon
- D 16 s' Alice
- L 17 s' Tessa
- M18 s Gatien
- M19 s Urbain
- J 20 s Abraham
- V 21 s P. Canisius
- S 22 HIVER
- D 23 s Armand
- L 24 s' Adèle
- M25 NOËL
- M26 s Etienne
- J 27 s Jean
- V 28 ss Innocents
- S 29 s David
- D 30 Sainte Famille
- L 31 s Sylvestre

HIVER : 22 DÉCEMBRE — Reproduction interdite.

IMPEGA

b) 👁 *Observez ces photos.*
Décrivez la situation.

c) 🎧 *Écoutez.*
Associez chaque dialogue à une photo.

Dialogue	A	B	C	D	E	F	G	H	I	J
Photo	10									

`Activité FD1`

d) 👁 *Deux fêtes ne sont pas sur le calendrier. Lesquelles ?*

2] Souvenirs de fêtes

a) 🎧 *Écoutez ces souvenirs de Noël et observez les verbes à l'imparfait. Soulignez ces verbes.*

Souvenir 1 : Le soir du 24, toute la famille se retrouvait chez mes grands-parents. On était toujours une vingtaine à table. Le repas durait des heures ! Vers minuit, on allait à la messe à pied. Quand on rentrait, on éteignait toutes les lumières, on chantait devant le sapin illuminé et on ouvrait nos cadeaux.

Souvenir 2 : Le matin du 25, je me réveillais toujours avant mes parents. Je descendais au salon sans faire de bruit, je voulais voir mes cadeaux. J'allais vite au pied du sapin ouvrir mes cadeaux. Je passais la matinée à jouer. Mon oncle, ma tante et leurs enfants venaient manger chez nous. Je buvais un peu de champagne !

Souvenir 3 : Mes parents sont musulmans alors chez nous, on ne fêtait pas Noël. Pour nous, c'était un jour comme les autres. On ne faisait pas de sapin et on n'avait pas de cadeaux mais j'étais bien content de ne pas aller à l'école.

b) *Comment former l'imparfait ? Conjuguez chaque verbe au présent puis retrouvez dans les Souvenirs 1, 2 et 3 sa forme à l'imparfait.*
Que remarquez-vous ? Sur quel radical est formé l'imparfait ? Essayez de deviner les autres personnes pour chaque verbe.

Verbe	Présent	Imparfait
Boire	je bois nous buvons ils boivent	je buvais nous ils
Venir	je nous ils	je nous ils
Faire	je nous ils	je nous ils

c) ✎ *Mettez les verbes à l'imparfait.*

1. Le soir du 5 décembre, je _____ (*poser*) ma chaussure sur le bord de ma fenêtre et je _____ (*se coucher*) tôt. Pendant la nuit, Saint Nicolas _____ (*venir*) dans les maisons. Il _____ (*apporter*) des bonbons, des chocolats et des fruits. Les enfants qui n'étaient pas sages ne _____ (*recevoir*) pas de cadeaux.

2. Pour Hanoukka, la fête des Lumières dans la religion juive, généralement en décembre, on _____ (*allumer*) chaque soir une bougie. Le chandelier _____ (*être*) devant la fenêtre. On _____ (*manger*) des galettes de pommes de terre avec un oignon, de la farine et des œufs. On _____ (*jouer*) à des jeux traditionnels et on _____ (*recevoir*) des petits cadeaux.

> ▶ PG 12

3] Souvenirs d'école

a) 👁 *Observez cette photo de classe.*

Je m'ennuie !

Elle est gentille !

J'ai faim !

J'ai sommeil !

Je veux jouer !

e ne comprends pas !

Elle est belle ma maîtresse !

b) ✏ *Écrivez. Ces enfants devenus adultes racontent leurs souvenirs d'école.*

Exemple : Quand j'étais à l'école, je m'ennuyais.

À vous de continuer. Vous pouvez imaginer d'autres souvenirs.

4] Offrir/Recevoir un cadeau

a) 🎧 *Écoutez. Dites si la personne qui parle offre ou reçoit un cadeau.*

Exemple : C'est pour moi ?

	Il/elle offre un cadeau	Il/elle reçoit un cadeau
1		X
2		
3		
4		
5		
6		
7		
8		
9		
10		

b) *Jouez ces scènes.*　　　　Activités CE1, 2, 3

Imparfait

• État/description dans le passé
*Elle **était** contente.*
*Il **pleuvait**.*
• Action habituelle dans le passé
*Je **jouais** au football.*

Formation : un seul radical → le radical du « nous » du présent de l'indicatif

Nous offr-ons ➡ J'offrais
Nous finiss-ons ➡ Je finissais
Nous pren-ons ➡ Je prenais
Nous all-ons ➡ J'allais
Nous av-ons ➡ J'avais
Nous pouv-ons ➡ Je pouvais
Nous buv-ons ➡ Je buvais
Nous voul-ons ➡ Je voulais

Faire
Je fais**ais**
Tu fais**ais**
Il/elle/on fais**ait**
Ils/elles fais**aient**
Nous fais**ions**
Vous fais**iez**
Exception : être
Vous êtes ➡ j'étais

Offrir un cadeau
– *Tiens, j'ai quelque chose pour toi.*
– *Tenez, j'ai quelque chose pour vous.*
– *J'ai une surprise pour toi/vous.*
– *J'ai quelque chose pour toi/vous.*

Recevoir un cadeau
– *C'est très gentil !*
– *Merci, c'est vraiment gentil !*
– *C'est vraiment très gentil !*
– *C'est trop gentil !*
– *Quelle bonne surprise !*
– *C'est une bonne idée.*
– *Il ne fallait pas !*

6 analyser et pratiquer

5] Les mots et les couleurs

a) *À quels mots associez-vous ces couleurs ?*

Exemple : Le bleu, c'est la couleur du ciel, de la mer, de la paix, du rêve.

À vous. Complétez comme dans l'exemple.

Le BLANC _____

Le ROUGE _____

Le VERT _____

Le NOIR _____

Le ROSE _____

Le JAUNE _____

L'ORANGE _____

➤ PG 3b

b) *Observez ces expressions. Associez-les à une image.*
Dans quelle situation les utilise-t-on ?

1. être **VERT** de peur
2. être BLANC comme un cachet d'aspirine
3. être **BLEU** de froid
4. rire JAUNE

5. voir tout en **NOIR**
6. voir la vie en **ROSE**
7. être **ROUGE** de colère

a

Il est en colère.

b

Il est malade.

c

Elle a froid.

d

Il est optimiste.

e

Elle a peur.

f

Il est pessimiste.

g

Il est gêné.

c) *Écoutez ces phrases. Associez chaque phrase à une situation.*

Image	a	b	c	d	e	f	g
Situation				1			

6] Les pronoms compléments indirects

a) 👁️ *Devinettes. Trouvez les personnes.*

1. Le Père Noël **leur** apporte des cadeaux.
Le marchand de sable **leur** ferme les yeux.
La petite souris **leur** prend leur dent de lait.
À qui ? **Aux** _____

2. Je **lui** envoie une carte le jour de la Saint-Valentin.
Je **lui** achète du muguet le 1er mai.
Je **lui** offre un cadeau à chaque anniversaire de notre rencontre.
À qui ? **À** _____

b) 👄 *À vous. Imaginez d'autres devinettes.*

c) 🎧 *Écoutez. Classez ces verbes selon leur construction.*

Exemple : 1. Le professeur lui parle. Il parle à l'étudiant.
          2. Son amoureux lui offre des fleurs. Il offre des fleurs à son amoureuse.

	verbe + à quelqu'un	verbe + quelque chose à quelqu'un
1	X	
2		X
3		
4		
5		
6		
7		
8		

> PG 18

d) *Complétez par un pronom complément (me, lui, leur, nous, vous).*

1. – N'oublie pas de téléphoner à tes parents.
   – Oui, je vais _____ téléphoner ce soir.

2. – Qu'est-ce qu'on offre à Alex pour son anniversaire ?
   – On _____ offre le dernier CD de Noir Désir.

3. – Tu ne _____ donnes pas d'argent pour faire les courses ?
   – Si, tiens, voilà 50 euros.

4. – Vous êtes ses amis, qu'est-ce qu'il vous a dit ?
   – Il _____ a parlé de ses problèmes d'argent.

5. – Elle ne _____ a pas écrit ?
   – Si, maintenant on communique par MSN.

6. – Tu connais bien ta voisine ?
   – Pas vraiment. Je _____ parle un peu dans l'ascenseur.

7. – Tiens, les filles arrivent.
   – Je vais _____ proposer d'aller au cinéma.

Activité CE5

Pronoms compléments indirects

Offrir à quelqu'un

À qui ?	
à moi	On **m'**offre un cadeau
à toi	On **t'**offre
à elle/à lui	On **lui** offre
à nous	On **nous** offre
à vous	On **vous** offre
à elles/à eux	On **leur** offre

Depuis

Début d'une action qui continue :
*J'étudie le français **depuis six mois**.*

analyser et **p**ratiquer

7] [s] / [z]

a) 🎧 *Écoutez et cochez le son entendu.*

Exemple : Prends ce coussin.

	1	2	3	4	5	6	7	8	9	10
s	X									
z										

b) 👁 *Lisez ces phrases. [s] ou [z] ?*

Exemple : Nous_allons en ville ➡ z

1. Vous aimez faire la fête ?
2. Nous salons beaucoup nos plats.
3. Ils offrent un verre à leur ami.
4. Elles sont amies.

5. Ils s'aiment.
6. Vous savez jouer de la guitare ?
7. Elles ont des amis.
8. Vous avez joué de la guitare ?

8] Depuis

a) 👁 *Observez.*

David a 20 ans.
Il joue de la guitare depuis l'âge de 8 ans.
Il étudie l'anglais depuis l'âge de 12 ans.
C'est un passionné de sport, il joue au foot depuis l'âge de 5 ans.

David joue de la guitare depuis 12 ans.
Il étudie l'anglais depuis 8 ans.
Il joue au foot depuis 15 ans.

➤ PG 6 **Activité CE7**

b) 👄 *Et vous ? Imaginez d'autres questions ? Échangez.*

Vous êtes en France depuis combien de temps ?
Vous étudiez le français depuis combien de temps ?

➤ PG 17

Vous savez jouer de la guitare ?

c) 👁 *Observez ce message.*

Je m'appelle Alice Carpentier,
je pèse 3kg120,
je mesure 47 cm,
je suis née à Lille le 9 mars 2005...
**Et je vais en faire voir de
toutes les couleurs à ma
maman* et à mon papa* !**

** Tania et Stéphane Carpentier
14, rue Louis Loucheur
59000 Lille

Exemple ⟹ J'ai appris la bonne nouvelle : tu es papa depuis 2 jours ! Je suis très heureux(se) pour vous. J'espère que la maman et le bébé vont bien. Gros bisous à tous les trois.

✏ *Choisissez une carte et écrivez à un(e) ami(e).*

6 communiquer

9] Souvenirs de Carnaval

a) 👁 *Observez les photos. Vous avez habité à Dunkerque. Chaque année, vous fêtiez le Carnaval en février. Que faisiez-vous ? Racontez vos souvenirs du Carnaval de Dunkerque.*

Choisissez dans la liste et complétez-la.

Exemple : Je me levais tôt.

– se lever tôt
– se déguiser
– chanter la Marseillaise
– se maquiller le visage
– porter un chapeau étrange
– prendre des photos
– marcher dans les rues
– acheter du muguet
– écrire des cartes de vœux
– aller au cimetière

– manger des crêpes
– boire de la bière
– danser
– jouer d'un instrument de musique
– rire
– s'amuser
– ....
– ....
– ....
– ....

b) 👄 *Échangez vos descriptions de ce carnaval.*

c) ✎ *Écrivez vos souvenirs d'enfance d'une fête traditionnelle de votre pays.*

Exemple : Quand j'étais enfant, pour la fête de _____, on allait _____, on faisait _____, on mangeait _____…

Activité CE8

10] La fête des voisins

a) 👁 *Observez ce document. Expliquez cette fête.*

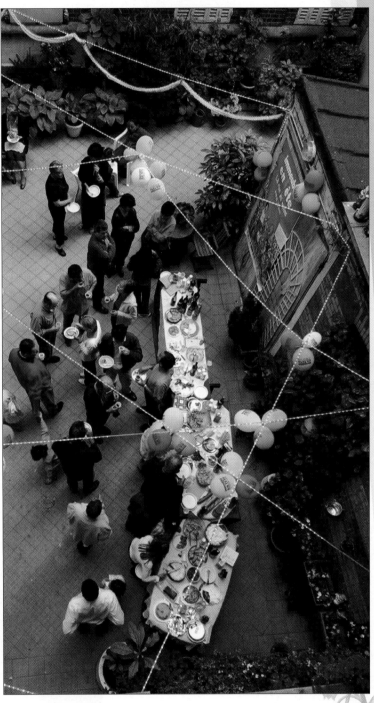

b) 🎧 *Écoutez cette interview de Marie sur la fête des voisins.*
Dites quels sont les avantages de cette fête pour elle.

c) 👄 *Jeu de rôles*

Vous étudiez à Genève et vous proposez à vos voisins d'organiser une fête des voisins.
Vous les réunissez et vous discutez de l'organisation de cette fête :
– combien de personnes ?
– où se réunir ?
– à quelle heure ?
– que manger, que boire ?
– qui fait quoi ?

▸ PG 17

6 vivre en français

11] Fêtes francophones

a) 👁 *Lisez ces documents.*

Le carnaval de Binche

Chaque année, pendant les 3 jours qui précèdent le mercredi des Cendres en février, la cité médiévale de Binche en Belgique organise un carnaval célèbre pour ses Gilles. Ces derniers se déplacent au son du tambour, habillés de leurs costumes, d'un chapeau à plume et d'un masque de cire aux petites lunettes vertes. Ils distribuent des oranges. Être déguisé en Gille est une tradition très ancienne qui se transmet de génération en génération.

La fête de l'Escalade

L'Escalade est une fête genevoise populaire. Elle commémore la défaite des troupes catholiques du duc de Savoie en 1602 et le courage de la mère Royaume. Elle a jeté un chaudron de soupe bouillante sur les soldats en train d'escalader les murs. Aujourd'hui, les Genevois font, ouvrent et cassent des marmites en chocolat remplies de légumes en massepain (amandes, sucre et blanc d'œufs). La fête de l'Escalade est célébrée le week-end le plus proche de la nuit du 11 au 12 décembre.

La fête de l'Aïd el Kebir

La Grande Fête en arabe. Aussi appelée Aïd el Adha ou fête du mouton. L'Aïd el Kebir est une fête des pays musulmans qui commémore le sacrifice d'Abraham : Abraham devait sacrifier son fils, mais Dieu est intervenu et lui a demandé de tuer à la place un mouton. Après la prière, on tue un mouton ou un autre animal, il est consommé lors d'un grand repas de famille. Un tiers de la viande est donné aux pauvres. On rend visite aux gens pour leur souhaiter bonne fête. La fête dure de deux à quatre jours. Elle a lieu à la fin du douzième mois lunaire qui est le mois du pèlerinage (*Hadj*) à La Mecque.

b) *Complétez le tableau.*

Fête	Où ?	Quand ?	Quoi ?
Le carnaval de Binche			
L'Aïd el Kebir			
L'Escalade			

12] Fêtes modernes

🎧 *Écoutez la description de ces trois nouvelles fêtes : les journées du patrimoine, la fête du cinéma, la fête de la musique. Prenez des notes. Présentez-les.*

13] Tour de France des traditions culinaires

a) 🎧 *Écoutez et suivez le chemin sur la carte de France à la fin du livre.*

b) 👁 *Observez ces spécialités. Quelles sont celles qui ne sont pas mentionnées ?*

un cassoulet

des cuisses de grenouilles

une tarte aux poireaux

une bouillabaisse

un reblochon

du roquefort

une choucroute

des crêpes

une tarte tatin

un kir royal

du pastis

c) *Allez chercher sur Internet des informations sur ces spécialités.*

a) 🎧 *Écoutez et lisez ce poème à plusieurs voix.*

b) *Observez ces deux tableaux de Renoir. Quels mots, quelles phrases de ce poème peuvent les illustrer ?*

Fêtes de village en plein air

Le bal champêtre est sous la tente
On prend en vain des airs moqueurs ;
Toute une musique flottante
Passe des oreilles aux cœurs.

On entre, on fait cette débauche
De voir danser en plein midi
Près d'une Madelon point gauche,
Un gros Pierre point engourdi.

On regarde les marrons frire :
La bière mousse, et les plateaux
Offrent aux dents pleines de rire
Des mosaïques de gâteaux.
Le soir on va dîner sur l'herbe ;
On est gai, content, berger, roi,
Et, sans savoir comment, superbe,
Et tendre, sans savoir pourquoi.

Feuilles vertes et nappes blanches ;
Le couchant met le bois en feu ;
La joie ouvre ses ailes franches ;
Comme le ciel immense est bleu.

Victor Hugo, *Chansons des rues et des bois*, 1865.

Le bal du Moulin de la Galette

Le déjeuner des canotiers

🗣 *Vous êtes un des personnages de ces tableaux. Qui êtes-vous (nom/âge/situation familiale/ métier…) ? Vous vous présentez à la classe.*

✍ *Vous écrivez à un ami le lendemain de cette fête pour lui raconter ce bal/ce déjeuner.*

c) 🎧 *Écoutez la chanson de Michel Fugain « C'est la fête » et soulignez les mots associés à la fête.*

Tiens tout a changé ce matin
Je n'y comprends rien
C'est la fête, la fête
Jeunes et vieux grands et petits
On est tous amis
C'est la fête, la fête
C'est comme un grand coup de soleil
Un vent de folie
Rien n'est plus pareil
Aujourd'hui
Le monde mort et enterré
A ressuscité
On peut respirer
C'est la fête, la fête
Plus de bruit plus de fumée
Puisqu'on va tous à pied
C'est la fête, la fête
Le pain et le vin sont gratuits
Et les fleurs aussi
C'est la fête, la fête
C'est comme un grand coup de soleil
Un vent de folie
Rien n'est plus pareil
Aujourd'hui
Depuis le temps qu'on en rêvait
Et qu'on en crevait
Elle est arrivée
C'est la fête, la fête
Merde que ma ville est belle
Sans ces putains de camions
Plus de gas-oil mais du gazon
Jusque sur le goudron
Merde que ma ville est belle
Avec ces gosses qui jouent
Qui rigolent et qui cassent tout
Qui n'ont plus peur du loup !
Et l'eau c'est vraiment de l'eau
Que l'on peut boire au creux des ruisseaux
Venez danser dans la rue
Ce n'est plus défendu
C'est la fête, la fête
En vérité je vous le dis
C'est le paradis
C'est la fête, la fête
C'est comme un grand coup de soleil
Un vent de folie
Rien n'est plus pareil
Aujourd'hui
On a les yeux écarquillés
Sur la liberté et la liberté
C'est la fête, la fête   © Michel Fugain

🎧 Compréhension de l'oral

Écoutez. Dites ce que les personnes font.

Situations	Dialogues
a. La personne salue.	n°
b. La personne se présente.	n°
c. La personne présente quelqu'un.	n°
d. La personne demande à quelqu'un de se présenter.	n°
	n°
e. La personne dit ses goûts.	n°

👄 Expression orale

Au choix, par deux :

1) **Jeu de rôles**

Alex et son amie Caroline sont à la cafétéria. Un ami d'Alex, Benjamin, arrive. Ils se saluent. Alex présente Caroline. Ils parlent de leurs goûts et de leur famille.

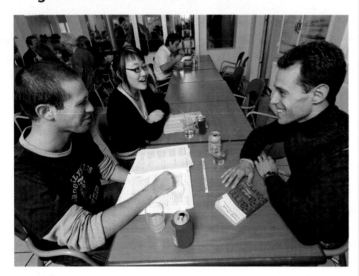

2) **Retour d'enquête**

Vous avez enquêté sur les salutations à la gare. Que disent-ils ? Que font-ils ? Échangez.

👁 Compréhension de l'écrit

Lisez. Remettez le dialogue dans l'ordre.

– J'ai deux chiens.	– _____
– Vous avez une adresse e-mail ?	– _____
– Je suis célibataire.	– _____
– Bonjour, Mademoiselle. Votre nom et votre nationalité, s'il vous plaît.	– _____
– J'étudie le français.	– _____
– Vous êtes mariée ?	– _____
– Je m'appelle Rita Micheloto, je suis italienne.	– _____
– Vous êtes étudiante ?	– _____
– Ritam. R-I-T-A-M @ yahoo.fr	– _____
– Vous avez un animal ?	

✒ Expression écrite

Remplissez le formulaire.

```
        Demande de contrôle médical

   Nom de naissance : ............................

   Prénom : ...................................

   Nom d'épouse : ............................

   Date de naissance : ......................

   Nationalité : ...............................

   Sexe : .....................................

   Situation de famille : ...................

   Date d'entrée en France : ...............

   Adresse à l'étranger : ..................
   ...........................................

   Adresse en France : ....................
   ...........................................
```

🎧 Compréhension de l'oral

Écoutez le dialogue et décrivez ou dessinez Noémie.

👁 Compréhension de l'écrit

Lisez et répondez aux questions.

Avec TCL, BOUGEz AU RYTHME DE LA FÊTE DE LA MUSIQUE

Le 21 juin :

- encore plus de bus, de métros et de tramways ;
- les deux lignes Pleine Lune fonctionnent de 1 h à 4 h ;
- le ticket TCL EN FÊTE est à 2,10 € pour bouger sur tout le réseau de 16 h à la fin de service.

Ticket TCL EN FÊTE en vente le jour même dans les bus, et à partir du 14 juin dans les agences TCL et sur distributeurs automatiques.

Allô TCL 0820 42 7000*   Internet www.tcl.fr

PARTOUT, POUR TOUS, IL Y A TCL
M T C BUS

1) Que se passe-t-il le 21 juin ?

2) Relevez les trois changements dans les transports de la ville ce jour-là.

1 _____
2 _____
3 _____

✒ Expression écrite

Vous écrivez une carte postale à un ami français. Vous êtes sur une place. Continuez cette carte.

Le 18 juin 2006
Cher Christian,
Je suis dans un café,
sur la place.
C'est très agréable.
Il y a _____
_____
_____

👄 Expression orale

Au choix, par deux :

1) Jeu de rôles. Vous invitez des étudiants chez vous. Expliquez l'itinéraire pour aller du centre de langue à votre adresse.

2) Retour d'enquête
Les rues de la ville : expliquez une observation intéressante faite pendant l'enquête.

🎧 Compréhension de l'oral

Martin cherche la poste. Écoutez et dessinez le chemin de Martin.

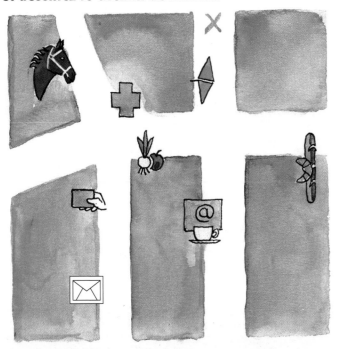

👁 Compréhension de l'écrit

a) *Lisez la recette de l'omelette au jambon :*

1. Couper le jambon en petits morceaux.
2. Battre les œufs avec le lait.
3. Faire chauffer une poêle avec l'huile et le beurre.
4. Verser les œufs.
5. Laisser dorer le dessous de l'omelette.
6. Verser les morceaux de jambon sur une moitié de l'omelette.
7. Replier l'autre moitié.
8. Mettre dans un plat.

✒ Expression écrite

Vous envoyez la recette de l'omelette au jambon à votre amie Masako. Continuez la recette.

> *Chère Masako,*
>
> *Pour faire l'omelette au jambon, tu utilises 6 œufs, 100 grammes de jambon blanc, 2 cuillérées de lait, une d'huile et 10 grammes de beurre. Tu ...*

👄 Expression orale

Au choix, par deux :

1) **Jeu de rôles**
Nicole ne va pas bien. Elle va dans une pharmacie pour acheter des médicaments. Elle parle avec le pharmacien.

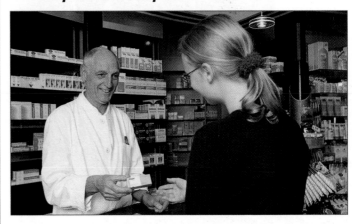

2) **Retour d'enquête**
Vous avez observé les commerces de votre quartier. Échangez.

b) *Faites correspondre chaque photo à une étape de la recette.*

🎧 Compréhension de l'oral

Écoutez et complétez.

Dates de la promotion ....

Nom du magasin ....

Nom et description des objets	Prix ordinaire	Prix promo
1.		
2.		
3.		
4.		

👁 Compréhension de l'écrit

Vous cherchez un logement à Lille. Vous choisissez l'annonce qui vous intéresse et vous expliquez pourquoi. Donnez plusieurs explications.

Loue studio ds petit imm. – centre ville –
19 m² – coin cuis – sdb indep – libre 01/09 –
250 euros cc – APL

IMMO 2000 : 02 57 47 84 56

■ Propose à étudiant sympa et non fumeur :
Ch 15 m² avec sdb dans gd appt avec
3 autres étudiants.
Px 220 euros cc – APL
Prox univ – métro Saxe – **libre 01/09** –
Tél : 06 09 41 23 75 (Régis, ap. 19h)

👄 Expression orale

Au choix, par deux :

1) Jeu de rôles
*Emmanuelle et Boris ont un nouvel appartement. Ils organisent une fête pour leur installation. Emmanuelle téléphone à Cécile. Elle propose deux dates.
Pour Cécile, la première date n'est pas possible, la deuxième est difficile. Cécile préfère une autre date.
Imaginez leur discussion.*

2) Retour d'enquête
Votre groupe a enquêté sur le logement des étudiants. Qu'avez-vous appris pendant cette activité (informations, expressions…) ?

✒ Expression écrite

Choisissez un jour de la semaine. Décrivez ce que vous faites du matin jusqu'au soir.

BILAN **5**

🎧 Compréhension de l'oral

a) *Écoutez l'interview de la responsable de l'office du tourisme.*

b) *Relevez et corrigez les erreurs d'informations dans le résumé ci-dessous.*

> Pour visiter la ville, la formule city card est très pratique. C'est une carte qui permet d'entrer librement dans les musées, les expositions, les cinémas. On peut la prendre pour un jour, deux jours ou une semaine.
>
> Pour une journée, c'est 18 euros.
>
> *L'office du tourisme propose une autre formule : le week-end découverte avec la city card, l'hôtel et un spectacle.*

👁 Compréhension de l'écrit

Complétez le texte avec les éléments ci-dessous :

- les visites culturelles dans les villes
- la recherche de la nature et du calme
- un peu de nature, un peu d'eau, un peu de ville… pour tous les goûts
- les montagnes et la neige en hiver, parfois aussi en été
- les sables du désert
- la mer, les lacs, les rivières

Les couleurs des vacances

Les lieux et les moments de vacances sont de plus en plus diversifiés. À chaque lieu, sa couleur…
Le tourisme **vert** est motivé par

Le tourisme **bleu** est orienté vers

Le tourisme blanc conduit vers

Le tourisme gris propose au voyageur

Le tourisme jaune conduit le voyageur dans

Enfin le tourisme multicolore, avec les circuits, mélange les couleurs :

(d'après *Francoscopie 2005*, G. Mermet, Larousse)

✒ Expression écrite

Et vous ?
Dites quel tourisme vous préférez, quel tourisme vous n'aimez pas. Expliquez.

👄 Expression orale

Au choix, par deux :

1) *Imaginez une interview. Un journaliste interroge une actrice/un acteur sur ses loisirs.*
Le journaliste : « *Vous faites beaucoup de films, avez-vous encore des loisirs ?* »
Continuez.

2) *Retour d'enquête*
Vous avez enquêté sur les loisirs dans la ville. Qu'avez-vous découvert de nouveau ? Quelles idées de loisirs cela vous donne-t-il pour la suite de votre séjour ?

🎧 Compréhension de l'oral

Écoutez ce document sur Jack Lang. Complétez le tableau.

Dates	Événements
–	– naissance
– 1963-1977	– ....
– 1981-1986	– ....
–	– fête de la musique
– 1986-1988	– ....

✒️ Production écrite

Vous êtes allé(e) à la fête de la musique le 21 juin. Vous écrivez à un ami, vous lui racontez ce que vous avez vu et entendu (environ 50 mots).

👁 Compréhension de l'écrit

Reliez chaque début de phrase à la fin qui correspond.

1. Les 3 et 4 juin, c'est la fête du vélo…
2. Son but : faire découvrir aux Français…
3. Cette fête veut redonner aux gens…
4. Elle veut leur montrer que le vélo est plus économique que la voiture…
5. En 2005, 500 000 personnes ont participé…
6. Des manifestations sont organisées …

a. le goût du vélo.
b. pour les petits trajets
c. pour la 10ᵉ année.
d. cette année dans toute la France.
e. à la fête du vélo.
f. les différentes façons de faire du vélo.

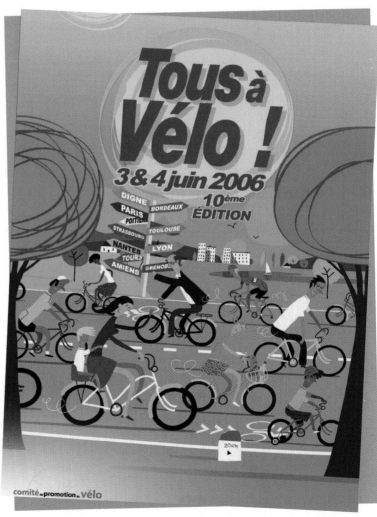

👄 Production orale

1) **Entretien dirigé**
   Vous vous présentez à un employeur pour un travail d'été.
   L'employeur vous pose des questions.
   Vous répondez.

2) **Échange d'informations**
   Observez ces mots : cinéma – déjeuner – musique – vélo – voiture
   Vous choisissez un mot et vous posez des questions au professeur avec ce mot.

3) **Dialogue simulé**
   Vous voulez partir à Paris pour le week-end. Vous allez à la gare. Le professeur est l'employé de la gare.
   Vous posez des questions sur les horaires, les prix, les réductions.

Précis grammatical

à la découverte du **nom**

1] Le singulier et le pluriel des noms

En général à l'écrit, on marque le pluriel en ajoutant un s qui ne se prononce pas à l'oral.

Exemple : le petit sac noir ➔ *les petits sacs noirs*

Sauf : s'il y a déjà un s ou un x au singulier

Exemple : le mois ➔ *les mois ; le prix* ➔ *les prix*

Le s devient x en général quand les mots se terminent en eu, au, eau.

Exemple : un beau jeu ➔ *de beaux jeux*

2] Le masculin et le féminin

– Les noms communs

Sans suffixe

Un ami/une amie
Un étudiant/une étudiante ⎬ Féminin = Masculin + e à l'écrit

Sauf s'il y a déjà un « e » au masculin
Un photographe/une photographe

À l'oral : – quand le nom se termine par une voyelle
➔ même prononciation

– quand le nom se termine par une consonne (sauf R), au masculin on ne prononce pas la consonne finale.

Avec suffixe

Un boulanger/une boulangère — er ➔ ère
Un acteur/une actrice — teur ➔ trice
Un coiffeur/une coiffeuse — eur ➔ euse ⎬ oral ≠ écrit
Un pharmacien/une pharmacienne — ien ➔ ienne

Un dentiste/une dentiste — iste oral =
Un secrétaire/ une secrétaire — aire écrit

– Les noms de pays

Masculin singulier	Le Japon Le Chili Le Canada	Les pays ne se terminant pas par la lettre « e » sauf la Haute-Volta
Féminin Singulier	La France L'Allemagne L'Italie	Les pays se terminant par « e » sauf le Zaïre, le Mexique, le Mozambique, le Cambodge
Pluriel Masculin/ Féminin	Les Pays-Bas Les États-Unis	Les pays se terminant par « s »

3] Les déterminants

En général, il y a un article devant les noms communs mais pas devant les noms de personnes.

Exemple : Paris est la capitale de la France.
Catherine est la femme de Saïd.

Certaines expressions n'ont pas d'articles : *Il est rouge de colère.*

À l'oral, la liaison est obligatoire avec tous les déterminants + nom ou + adjectif.

Exemple : Un‿ami, un‿ancien ami

3 a) Les articles définis ont :

– une valeur générale : *La terre est ronde.*
– une valeur spécifique : *Il va à l'université.*

Ils s'accordent en genre (masculin/féminin) et en nombre (singulier/pluriel) avec le nom qu'ils déterminent.

	Masculin	Féminin
Singulier	le directeur l'étudiant	la directrice l'étudiante
Pluriel	les directeurs/les directrices les‿étudiants/les‿étudiantes	

3 b) Les articles contractés

à + article défini

+ le bar ➡ Je vais au bar.
+ la page ➡ Ouvrez le livre à la page 3.
+ l'aéroport ➡ Je suis à l'aéroport.
+ les toilettes ➡ Je vais aux toilettes.
+ les États-Unis ➡ J'habite aux États-Unis.

de + article défini

+ le professeur ➡ le livre du professeur.
+ la classe ➡ le tableau de la classe.
+ l'université ➡ le plan de l'université.
+ les pages ➡ le numéro des pages.
+ les élèves ➡ les emplois du temps des élèves.

3 c) Les articles indéfinis ont une valeur d'introduction.

On parle de quelqu'un ou de quelque chose pour la première fois : *J'ai visité un appartement.*
Ils s'accordent en genre (masculin/féminin) et en nombre (singulier/pluriel) avec le nom qu'ils déterminent.

	Masculin	Féminin
Singulier	un garçon/un ami	une fille/une amie
Pluriel	des garçons/des amis/des filles/des amies	

3 d) Les articles partitifs servent à quantifier des éléments non dénombrables.

> *Exemple : Je bois de l'eau.*

Il y a toujours un article avec la préposition.

	Masculin	Féminin
Singulier	du pain/de l'argent	de la farine/de l'eau

La quantité non précisée

Un peu de, assez de, suffisamment de, trop de, beaucoup de
> *Exemple : Donne-moi un peu de lait.*
Il n'y a jamais d'article avec la préposition.

La quantité précisée

Un litre de…, un kilo de …, une tranche de …, un morceau de …, une boîte de …, une bouteille de …, un paquet de …, une carafe de…, une corbeille de …, un pot de …, un tube de …, un sachet de …, un sac de …, 100 grammes de …, une cuillerée de …

Ne … pas de , pas du tout de …, pas assez de …, pas suffisamment de ….
Il n'y a jamais d'article avec la préposition **DE**.
Exemple : Je voudrais un litre de lait. Je ne bois pas de lait.

3 e) Les adjectifs possessifs

Ils s'accordent en genre (masculin/féminin) et en nombre (singulier/pluriel) avec l'objet possédé : *Elle a un sac, c'est son sac.*

Masculin singulier	mon ton son notre votre leur	copain
Féminin singulier	ma ta sa notre votre leur	copine
Pluriel (Masculin / Féminin)	mes tes ses nos vos leurs	copains, copines

Au féminin singulier, les adjectifs possessifs *ma, ta, sa* deviennent *mon, ton, son* devant un nom ou un adjectif commençant par une voyelle.
> *Exemple : Mon école, mon ancienne voiture*

3 f) Les adjectifs démonstratifs

Ils désignent des objets ou des personnes qu'on peut montrer du doigt : *J'aime cette couleur.*
Ils s'accordent en genre (masculin/féminin) et en nombre (singulier/pluriel) avec le nom qu'ils déterminent.

	Masculin	Féminin
Singulier	ce garçon/cet ami	cette fille
Pluriel	ces garçons/ces amis/ces filles/ces amies	

3 g) Les adjectifs interrogatifs

Ils s'accordent en genre (masculin/féminin) et en nombre (singulier/pluriel) avec le nom qu'ils déterminent.

	Masculin	Féminin
Singulier	Quel métier ? Quel accent ?	Quelle langue ? Quelle idée ?
Pluriel	Quels métiers ? Quels accents ?	Quelles langues ? Quelles idées ?

Il n'y a pas de différence à l'oral au masculin/féminin/singulier/pluriel quand le nom commence par une consonne [kel]. La différence ne s'entend entre singulier ou pluriel qu'avec la liaison ou l'enchaînement.

4] La caractérisation

4 a) Les adjectifs qualificatifs

Ils se placent généralement après le nom mais quelques adjectifs se placent avant comme : *petit, grand, gros, jeune, vieux, joli, bon, mauvais, gentil, excellent.*

Masculin/féminin Oral ≠ / Écrit ≠	grand petit vert gros blanc	grande petite verte grosse blanche	français, e chinois, e italien, ne américain, e allemand, e
Masculin/féminin Oral = / Écrit ≠	noir seul	noire seule	espagnol,e grec, que
Masculin/féminin Oral = / Écrit =	rouge jaune jeune adorable capable		suisse belge arabe russe

Au pluriel, on rajoute un « s » à l'écrit sauf s'il y a déjà un « s » ou un « x » au singulier mais la prononciation ne change pas.

4 b) Le comparatif

+ plus : *Il est plus grand que moi.*
Il est plus intelligent que moi.

− moins : *Il est moins grand que moi.*
Il est moins intelligent que moi.

Exception :
Bon ➡ ~~plus bon~~ meilleur
Il a eu une meilleure note que moi.
Bien ➡ ~~plus bien~~ mieux
Il chante mieux que moi.

5] Les pronoms

5 a) Les pronoms sujets sont toujours placés devant le verbe.

Exemple : J'aime le café et je déteste la bière.
Vous peut désigner une ou plusieurs personnes.
Tous les pronoms pluriel (*nous, vous, ils, elles*) ont une liaison obligatoire devant une voyelle ou certains mots commençant par h : *Ils‿ont rendez-vous, elles‿habitent ici.*

En registre courant :
On est employé pour nous. ➡ *On part demain en vacances.*

À l'oral :
Tu devient t' devant une voyelle : *T'es content* ?
Il devient i : *I fait beau* ?

	Singulier	Pluriel
1e personne	je/j'	nous
2e personne	tu	vous
3e personne	il/elle/on	ils/elles

5 b) Les pronoms toniques ont une valeur de différenciation.

Exemple : Moi, je travaille !
On doit employer les pronoms toniques avec les prépositions :
C'est pour lui ? Non, pour vous.

	Singulier	Pluriel
1e personne	moi	nous
2e personne	toi	vous
3e personne	lui/elle	eux/elles

5 c) Les pronoms compléments directs

Ils dépendent d'un verbe qui se construit sans préposition.
Ils reprennent un nom dont on a déjà parlé : *J'ai acheté le dernier CD de Camille, je l'adore.*
Ils se placent devant le verbe : *Je la vois demain.*
Je ne l'aime pas.
Ils se placent après le verbe à l'impératif positif : *Invite-moi.*

	Singulier	Pluriel
1e personne	me/m'/moi	nous
2e personne	te/t'/toi	vous
3e personne	le/la/l'	les

5 d) Les pronoms compléments indirects

Ils dépendent d'un verbe qui se construit avec la préposition à.
Ils reprennent un nom représentant une personne dont on a déjà parlé :

> Exemple : *Tu as téléphoné à tes parents ?*
> – *Oui, je leur ai téléphoné.*

Ils se placent devant le verbe : *Je lui offre des fleurs.*
Ils se placent après le verbe à l'impératif positif : *Passe-moi le sel.*

	Singulier	**Pluriel**
1ᵉ personne	me/m'/moi	nous
2ᵉ personne	te/t'/toi	vous
3ᵉ personne	lui	leur

5 e) Les pronoms réfléchis

Je me lève	Nous nous levons
Tu te lèves	Vous vous levez
Il/elle/on se lève	Ils/elles se lèvent

Je m'excuse	Nous nous excusons
Tu t'excuses	Vous vous excusez
Il/elle/on s'excuse	Ils/elles s'excusent

6 | Les expressions du temps

Aujourd'hui, hier, demain, maintenant,
Lundi matin, mardi après-midi, mercredi soir, jeudi dans la matinée, vendredi dans l'après-midi, samedi dans la soirée, dimanche toute la nuit.

Depuis : *Nous sommes en France depuis le 11 mai, depuis un mois.*
Depuis l'âge de 15 ans, je joue au football.

Quand : *Quand elle a téléphoné, je n'étais pas là.*

7 | Les expressions du lieu

Ici, là
Dans, sur, sous, à côté de, près de, loin de, au milieu de, entre, devant, derrière, vers, chez, à (au, à la, à l', aux, *cf : les articles contractés 3.b.*)
Je vais au cinéma/à la gare/à l'aéroport/aux toilettes, aux Antilles.

à la découverte du **verbe**

Le verbe porte :
- des marques de personne et de nombre sauf à l'infinitif.
  au singulier : je, tu, il/elle/on,
  au pluriel : nous, vous, ils/elles
- des marques de temps : présent, passé, futur.
- des marques d'aspect : action achevée/inachevée.

8 | **Le présent** sert à exprimer :

- des actions qui se passent au moment où le locuteur parle.
  Exemple : Que fais-tu ? – Je discute avec une amie.
- une valeur générale.
  Exemple : La terre est ronde.
- des actions futures.
  Exemple : Demain, je pars en vacances.

9 | **L'impératif** sert à exprimer :

- un ordre.
- un conseil.
- une défense.
Il n'a que 3 personnes : *tu, nous, vous.*
  Exemple : Écoute, écoutons, écoutez.
  Lis, lisons, lisez.
Il utilise les formes verbales du présent sans pronom personnel.
Pour les verbes pronominaux : *Lève-toi, levons-nous, levez-vous.*
Attention pour les verbes en –er : *écoute, mange, parle* pas de « s ».

10 | **Le futur proche** sert à :

- exprimer le futur envisagé comme proche par le locuteur.
- indiquer un chemin.
  Exemple : Pour aller à la gare, vous allez continuer tout droit puis vous allez tourner au feu à gauche.
Il est formé avec le verbe aller (au présent) + l'infinitif.
  Exemples : Il va arriver dans cinq minutes.
  L'année prochaine je vais aller aux États-Unis.

11 | **Le passé composé** sert à indiquer qu'une action dans le passé ou le présent est accomplie.

Exemples : Hier, j'ai été au cinéma.
  Ouf ! j'ai fini mon devoir.
Le passé composé, comme son nom l'indique, est composé de deux éléments :
Avoir ou être au présent + le participe passé du verbe.
Avoir : la majorité des verbes
Être : tous les verbes avec « se » et 14 verbes.
Pour vous en souvenir, apprenez-les par groupe :
monter/descendre ; entrer/sortir ; arriver/partir/retourner ; naître/mourir ; aller/venir ; passer/rester/demeurer
Avec être, le participe s'accorde en genre et en nombre avec le sujet quand le verbe n'a pas de complément direct.
  Exemple : Elle est arrivée. Ils sont arrivés.

12 | **L'imparfait** sert à :

- exprimer une situation ou action qui se déroule dans le passé au moment où se produit une autre action qui elle s'exprime au passé composé.
  Exemple : Quand je suis arrivé, elle dormait.
- décrire un état, une situation dans le passé.
  Exemple : Quand j'étais petite, j'avais une poupée qui s'appelait Émilie.

L'imparfait se forme sur le radical du nous du présent :
Nous chantons ➡ je chantais
Nous finissons ➡ je finissais
Nous buvons ➡ je buvais

+ les terminaisons :

À l'écrit		À l'oral
Je, tu ➡ ais		
Il ➡ ait		[ɛ] (je, tu, il, ils)
Ils ➡ aient		
Nous ➡ ions		[jõ] (nous)
Vous ➡ iez		[je] (vous)

13 | **Le conditionnel de politesse**

sert à atténuer la force d'une demande.
  Exemple : J'aimerais un café.
Il se forme en général sur l'infinitif avec les terminaisons de l'imparfait.
Une forme irrégulière : *Je voudrais un café.*

14 | **L'infinitif** suit :

- une préposition.
  Exemple : J'apprends le français pour faire des études.
- un verbe différent d'être et avoir.
  Exemple : Je peux sortir ?

à la découverte de la **phrase**

15 | La phrase déclarative

Sujet + verbe + complément
Je mange une pomme.
Sujet + verbe + adjectif
Je suis étrangère.

• L'adverbe de manière se place toujours après le verbe :
Je mange lentement.
J'ai mangé lentement.
• L'adverbe de quantité se place après le verbe avec un temps simple :
Je mange beaucoup.
Après l'auxiliaire pour les temps composés :
J'ai beaucoup mangé.
• Le complément de lieu se place après le groupe du nom et du verbe :
Je travaille ici, près de la gare, à côté du cinéma Rex.
• Le complément de temps se place soit avant le groupe du nom et du verbe soit après :
Aujourd'hui j'ai fait du vélo. J'ai fait du vélo aujourd'hui.

16 | La phrase négative

• Temps simples : ne/n' + verbe +pas/plus
Je ne vais pas au cinéma.
Je n'aime pas ce film.
Ne touche pas.
• Temps composés : ne/n' + auxiliaire + pas + participe passé
Je ne suis pas allé en ville.
Je n'ai pas entendu.
• Avec pronom compléments directs/compléments indirects :
Je ne le vois pas.
Elle ne lui téléphone pas.

17 | La phrase interrogative

Question totale
Est-ce que ⟹ *Est-ce que vous parlez français ?*
Intonation ⟹ *Vous parlez français ?*
Inversion du sujet ⟹ *Parlez-vous français ?*

Question partielle
Mots interrogatifs
En français soutenu, le mot interrogatif est au début de la phrase et il y a inversion du sujet. Mais de plus en plus souvent certains mots interrogatifs sont postposés et il n'y a pas d'inversion du sujet.

Registre	Formel	Courant	Familier
Quand	Quand partez-vous ?	Quand est-ce que vous partez ?	Vous partez quand ?
Où	Où vas-tu ?	Où est-ce que tu vas ?	Tu vas où ?
Combien	Combien ça coûte ?	Combien est-ce que ça coûte ?	Ça coûte combien ?
Comment	Comment tu t'appelles ?	Comment est-ce que tu t'appelles ?	Tu t'appelles comment ?
Quel	Quelle heure est-il ?	Quelle heure est-ce qu'il est ?	Quelle heure il est ?
Pourquoi	Pourquoi pleures-tu ?	Pourquoi est-ce que tu pleures ?	Pourquoi tu pleures ?
Qui	Qui chante ?	Qui est-ce qui chante ?	C'est qui qui chante ?
Que, Quoi	Que fais-tu ?	Qu'est-ce que tu fais ?	Tu fais quoi ?

18 | La construction directe ou indirecte des verbes

Construction directe Verbe + quelqu'un/ quelque chose	Construction indirecte Verbe + à quelqu'un	Construction directe et indirecte Verbe quelque chose + à quelqu'un
aider aimer adorer attendre boire comprendre connaître quelqu'un décrire quelque chose détester écouter embrasser entendre inviter prendre rencontrer saluer savoir	parler téléphoner plaire à quelqu'un sourire	conseiller demander dire envoyer expliquer quelque chose proposer à quelqu'un offrir répéter souhaiter
J'attends mon professeur. *Je prends un livre.*	*Je parle à mon professeur.*	*J'offre des fleurs à mon professeur.*

Tableau de conjugaisons

Aller, avoir, être, faire : verbes irréguliers très fréquents

1. Aller	2. Avoir	3. Être	4. Faire
Présent Je vais Tu vas Il/Elle/On va Ils/Elles vont Nous allons Vous allez	**Présent** J'ai Tu as Il/Elle/On a Ils/Elles ont Nous avons Vous avez	**Présent** Je suis Tu es Il/Elle/On est Ils/Elles sont Nous sommes Vous êtes	**Présent** Je fais Tu fais Il/Elle/On fait Ils/Elles font Nous faisons Vous faites
Passé composé Je suis allé(e)	**Passé composé** J'ai eu	**Passé composé** J'ai été	**Passé composé** J'ai fait
Imparfait J'allais Tu allais Il/Elle/On allait Ils/Elles allaient Nous allions Vous alliez	**Imparfait** J'avais	**Imparfait** J'étais	**Imparfait** Je faisais

Verbes réguliers à un radical

▶ **Le radical est le même pour :** je, tu, il, elle, on, ils, elles, nous, vous, ils.

La majorité des verbes en -er (*habiter, étudier, parler…*) et quelques verbes en -ir(e) ont un seul radical.
Ils ont une conjugaison régulière sauf aller.

	5. Parler, Habiter, Étudier	6. Courir	7. Rire	8. Ouvrir, Couvrir, Découvrir, Offrir
Présent	Je parle Tu parles Il/Elle/On parle Ils/Elles parlent Nous parlons Vous parlez	Je cours Tu cours Il/Elle/On court Ils/Elles courent Nous courons Vous courez	Je ris Tu ris Il/Elle/On rit Ils/Elles rient Nous rions Vous riez	J'ouvre Tu ouvres Il/Elle/On ouvre Ils/Elles ouvrent Nous ouvrons Vous ouvrez
Passé composé	J'ai parlé	J'ai couru	J'ai ri	J'ai ouvert
Imparfait	Je parlais	Je courais	Je riais	J'ouvrais

Remarque :
Les verbes en –cer (commencer) ➡ ç devant a et o : *je commence, nous commençons, je commençais.*
Les verbes en –ger (manger) ➡ ge devant a et o : *je mange, nous mangeons, je mangeais.*

Verbes à deux radicaux

1. Verbes en er (type acheter, répéter), ayer, oyer, uyer + voir

▶ Le radical est différent pour je, tu, il, elle, on, ils, elles et pour nous, vous.

	9. S'appeler	10. Acheter	11. Répéter	12. Payer	13. Envoyer
Présent	Je m'appelle Tu t'appelles Il/Elle/On s'appelle Ils/Elles s'appellent Nous nous appelons Vous vous appelez	J'achète Tu achètes Il/Elle/On achète Ils/Elles achètent Nous achetons Vous achetez	Je répète Tu répètes Il/Elle/On répète Ils/Elles répètent Nous répétons Vous répétez	Je paie Tu paies Il/Elle/On paie Ils/Elles paient Nous payons Vous payez	J'envoie Tu envoies Il/Elle/On envoie Ils/Elles envoient Nous envoyons Vous envoyez
Passé composé	Appeler : j'ai appelé	J'ai acheté	J'ai répété	J'ai payé	J'ai envoyé
Imparfait	Il s'appelait	J'achetais	Je répétais	Je payais	J'envoyais

	14. S'ennuyer	15. Voir
Présent	Je m'ennuie Tu t'ennuies Il/Elle/On s'ennuie Ils/Elles s'ennuient Nous nous ennuyons Vous vous ennuyez	Je vois Tu vois Il/Elle/On voit Ils/Elles voient Nous voyons Vous voyez
Passé composé	Je me suis ennuyé(e)	J'ai vu
Imparfait	Je m'ennuyais	Je voyais

2. La majorité des verbes en ir(e), ettre, aître, dre (sauf prendre) + savoir

▶ Le radical est différent pour je, tu, il, elle, on (singulier) et pour ils, elles, nous, vous (pluriel)

	16. Sortir/Partir	17. Mettre/permettre	18. Conduire	19. Lire	20. Connaître
Présent	Je sors Tu sors Il/Elle/On sort Ils/Elles sortent Nous sortons Vous sortez	Je mets Tu mets Il/Elle/On met Ils/Elles mettent Nous mettons Vous mettez	Je conduis Tu conduis Il/Elle/On conduit Ils/Elles conduisent Nous conduisons Vous conduisez	Je lis Tu lis Il/Elle/On lit Ils/Elles lisent Nous lisons Vous lisez	Je connais Tu connais Il/Elle/On connaît Ils/Elles connaissent Nous connaissons Vous connaissez
Passé composé	Je suis sorti(e)	J'ai mis	J'ai conduit	J'ai lu	J'ai connu
Imparfait	Je sortais	Je mettais	Je conduisais	Je lisais	Je connaissais

	21. Finir	22. Choisir	23. Perdre	24. Descendre	25. Entendre/ Rendre/vendre
Présent	Je finis Tu finis Il/Elle/On finit Ils/Elles finissent Nous finissons Vous finissez	Je choisis Tu choisis Il/Elle/On choisit Ils/Elles choisissent Nous choisissons Vous choisissez	Je perds Tu perds Il/Elle/On perd Ils/Elles perdent Nous perdons Vous perdez	Je descends Tu descends Il/Elle/On descend Ils/Elles descendent Nous descendons Vous descendez	J'entends, Tu entends Il/Elle/On entend Ils/Elles entendent Nous entendons Vous entendez
Passé composé	J'ai fini	J'ai choisi	J'ai perdu	Je suis descendu (e)	J'ai entendu J'ai rendu J'ai vendu
Imparfait	Je finissais	Je choisissais	Je perdais	Je descendais	J'entendais

	26. Répondre	27. Écrire	28. Vivre/ Servir	29. Savoir	30. Dormir	Attention 31. Dire
Présent	Je réponds Tu réponds Il/Elle/On répond Ils/Elles répondent Nous répondons Vous répondez	J'écris Tu écris Il/Elle/On écrit Ils/Elles écrivent Nous écrivons Vous écrivez	Je vis Tu vis Il/Elle/On vit Ils/Elles vivent Nous vivons Vous vivez	Je sais Tu sais Il/Elle/On sait Ils/Elles savent Nous savons Vous savez	Je dors Tu dors Il/Elle/On dort Ils/Elles dorment Nous dormons Vous dormez	Je dis Tu dis Il/Elle/On dit Ils/Elles disent Nous disons Vous dites
Passé composé	J'ai répondu	J'ai écrit	J'ai vécu	J'ai su	J'ai dormi	J'ai dit
Imparfait	Je répondais	J'écrivais	Je vivais	Je savais	Je dormais	Je disais

Verbes à trois radicaux

▶ Le radical est différent pour je, tu, il, elle, on pour ils, elles et pour nous, vous.

	32. Devoir recevoir	33. Pouvoir	34. Vouloir	35. Prendre/ comprendre/ apprendre	35. Boire	37. Venir/ prévenir/ devenir
Présent	Je dois Tu dois Il/Elle/On doit Ils/Elles doivent Nous devons Vous devez	Je peux Tu peux Il/Elle/On peut Ils/Elles peuvent Nous pouvons Vous pouvez	Je veux Tu veux Il/Elle/On veut Ils/Elles veulent Nous voulons Vous voulez	Je prends Tu prends Il/Elle/On prend Ils/Elles prennent Nous prenons Vous prenez	Je bois Tu bois Il/Elle/On boit Ils/Elles boivent Nous buvons Vous buvez	Je viens Tu viens Il/Elle/On vient Ils/Elles viennent Nous venons Vous venez
Passé composé	J'ai dû J'ai reçu	J'ai pu	J'ai voulu	J'ai pris J'ai compris J'ai appris	J'ai bu	Je suis venu J'ai prévenu Je suis devenu
Imparfait	Je devais	Je pouvais	Je voulais	Je prenais	Je buvais	Je venais

38. Mourir et naître
Participe passé : mort et né
39. Pleuvoir
Présent : il pleut
Participe passé : il a plu
Imparfait : il pleuvait
40. Falloir
Présent : il faut
Participe passé : il a fallu
Imparfait : il fallait

Tous les verbes au présent au singulier ont la même forme à l'oral, la différenciation se fait par le pronom personnel :
je pars, tu pars, il part : [paʀ], *je bois, tu bois, il boit* [bwa]

Au présent, les terminaisons orthographiques sont :

Je	Tu	Il/Elle/On	Ils/Elles	Nous	Vous
-e	-es	-s	ent	-ons	-ez
-s	-s	-t			

Au passé composé, les terminaisons du participe passé :
• des verbes en -er sont en [e] ➡ -é : *j'ai mangé*
• de la majorité des verbes en -ir(e) est en [i] ➡ i, is, it : *il a fini, il a écrit*,
  sauf *venir, tenir, courir, lire* et en [y] : u ➡ u : *il a lu*
• de la majorité des verbes en –oir(e) est en [y] ➡ u : *il a voulu, il a cru*

Numérotation des verbes

acheter	10	écrire	27	payer	12
aller	1	entendre	25	perdre	23
appeler (s')	9	envoyer	13	permettre	17
apprendre	35	être	3	pleuvoir	39
avoir	2	étudier	5	prendre	35
boire	36	ennuyer (s')	14	prévenir	37
choisir	22	faire	4	pouvoir	33
conduire	18	falloir	40	recevoir	32
connaître	20	finir	21	rire	7
comprendre	35	habiter	5	savoir	29
courir	6	lire	19	servir	28
couvrir	8	mettre	17	sortir	16
découvrir	8	mourir	38	vendre	25
descendre	24	naître	38	venir	37
devenir	37	offrir	8	vivre	28
devoir	32	ouvrir	8	voir	15
dire	31	parler	5	vouloir	34
dormir	30	partir	16		

à la découverte de la **phonétique** et de la **graphie du français**

1] Les 13 voyelles avec la même consonne

On prononce	On écrit (graphies de base)
[i] mi	i, y
[y] mue	u
[u] moue	ou
[e] mes	é, er, ez
[e] ou [ɛ] mais	ai, et, ey, ay
[ɛ] mère	e + C, è, ê
[ø] meut	eu, œu, e (certains Français le prononcent plus fermé, d'autres plus ouvert)
[ø] ou [œ] me	
[œ] meurt	
[o] mot	o, au, eau
[ɔ] mort	
[a] ma	a (La majorité des Français ne font plus la distinction entre [a] et [ɑ])
[ɛ̃] main	in, ain, ein, éen [eɛ̃], ien [jɛ̃], un (beaucoup de Français ne font plus la distinction [ɛ̃]/[œ̃]), im, um + p, b
[ã] ment	an, en, am, em + p, b, m
[ɔ̃] mon	on, om + p, b

2] Les 17 consonnes avec la même voyelle

On prononce		On écrit (graphies de base)
[p] [po]	pot	p
[b] [bo]	beau	b
[m] [mo]	mot	m
[t] [to]	tôt	t
[d] [do]	do	d
[n] [nõ]	non	n
[k] [ko]	coco	c + a, o,u ; k ; q
[g] [go]	gogo	g + a, o, u ; gu + e , i, y
[ɲ] [aɲo]	agneau	gn se prononce de plus en plus [nj]
[f] [fo]	faux	f, ph
[v] [vo]	veau	v
[s] [so]	sot	s, ss, c + e, i, y, ç + a, o, u
[z] [zo]	zoo	z, s
[ʃ] [ʃo]	chaud	ch
[ʒ] [ʒo]	jojo	g + e, i, y ; ge + a, o, u ; j
[l] [lo]	lot	l
[ʀ] [ʀo]	rôt	r

3] Les 3 semi-consonnes

On prononce		On écrit
[j] [fij]	fille	(i)lle, (a)(e)(eu)ille, (a)(e)il, y, i
[ɥ] [lɥi]	lui	u
[w] [lwi]	Louis	ou, w

4] La prosodie : l'accent, l'intonation, l'enchaînement, la liaison

• **L'accent** : en français, il n'y a pas d'accent de mot mais de groupe de mots. L'accent se déplace si le groupe de syllabes s'allonge : maximum cinq, six syllabes.
  *Exemple : Dem**ain***   *Demain mat**in***

• **L'intonation** monte quand la phrase est interrogative. Elle descend quand la phrase est déclarative

• **L'enchaînement** : quand un mot commence par une voyelle et que le mot précédent se termine par une consonne, la consonne passe dans la syllabe suivante et se prononce avec la voyelle suivante. Cela rend la compréhension orale difficile car les mots sont décomposés.
  Exemple : Elle arrive avec elle. [ɛ la ʀi va vɛ kɛl]

• **La liaison** : une consonne muette devant une autre consonne se prononce quand le mot qui suit commence par une voyelle. Il y a des liaisons obligatoires et facultatives.
  Les liaisons sont obligatoires avec les déterminants, les pronoms personnels, les adjectifs devant le nom. Elles concernent : [z] graphie s, z ; [n] graphie n ; [t] graphie t, d ; [ʀ] graphie r
  Exemples :
  En [z] : *les études, des études, ces études, mes études, tes études, ses études, nos études, vos études, leurs études,*
  deux enfants, trois enfants, six enfants, dix enfants
  En [n] : *un enfant, mon enfant, ton enfant, son enfant.*
  On arrive.
  un bon étudiant
  En [t] : *Quand elle arrive…*
  Comment allez-vous ?
  un petit enfant, un grand enfant
  En [ʀ] : *le premier étage, le dernier étage*

5] Les accents à l'écrit

• **L'accent aigu** : é, la voyelle se prononce [e].
• **L'accent grave** : è, la voyelle se prononce [ɛ]
  ù, à, pas de changement de prononciation avec l'accent.
• **L'accent circonflexe** : ê : la voyelle se prononce [ɛ], â, î, ô, û : pas de changement de prononciation
• **Le tréma** : ë, ï. Les deux voyelles qui se suivent sont prononcées séparément : Noël
• **La cédille** : ç : la lettre c avec une cédille se prononce [s].
  Exemple : leçon.

6] La ponctuation

• **Le point** se met à la fin d'une phrase déclarative : *Il fait beau.*
• **Le point d'interrogation** se met à la fin d'une phrase interrogative : *Quand ?*
• **Le point d'exclamation** se met après une phrase qui exprime l'étonnement, la surprise, la joie, la déception : *Toi !*
• **La virgule** sépare une énumération : *Pierre, Jacques et Sophie sont partis.*
• **Le trait d'union** sépare :
  – des mots composés : *un porte-monnaie*
  – le verbe du pronom sujet placé après le verbe : *Est-elle française ?*
• **L'apostrophe** remplace la voyelle « e » ou « a » de certains petits mots grammaticaux *je, me, te, se, le, ce, de, ne, que, la* devant un mot commençant par une voyelle : *l'université, j'attends.*

On met toujours une majuscule quand on commence une phrase.

Lexique créatif

Créez votre lexique. Au choix :
- *faites une phrase,*
- *donnez un synonyme ou un antonyme,*
- *énumérez des mots du même thème,*
- *traduisez,*
- *dessiner.*

Unité 1

âge n.m.

aimer v.

appeler (s') v.

au revoir interj.

avoir v.

comment adv.

comprendre qqch v.

embrasser qqn/ (s') v.

être v.

italien n. ou adj.m.

langue n.f.

madame n.f.

nom n.m.

parler v.

pays n.m.

quel (m), **quelle** (f) adj.

répéter qqch v.

répondre à qqn v.

s'il vous plaît

vous pr.

Unité 2

adresse n.f.

aller v.

animé adj.m.

arrêter (s') v.

beau (m), **belle** (f) adj.

blanc n.m. /adj.m., **blanche** adj.f.

bleu n.m. /adj.m., **bleue** adj.f.

boulevard n.m.

habiter v.

il y a

loin adv.

métro n.m.

moto n. f.

où pr.

parler à qqn v.

passer v.

Note : qqch = quelque chose, qqn = quelqu'un

centre ville n.m.

cher (m), **chère** (f) adj.

continuer v.

descendre v.

famille n.f.

feux n.m.pl.

gauche (à) adv.

gens n.m.pl.

gros (m), **grosse** (f) adj.

piéton n.m.

pull n.m.

région n.f.

rue n.f.

station n.f.

train n.m.

vêtement n.m.

Unité 3

acheter v.

assez adv.

aujourd'hui adv.

avoir mal à v.

beaucoup adv.

bon (m), **bonne** (f) adj.

boulanger n.m.

café n.m.

carte (bancaire) n.f.

chez prép.

combien adv.

courses n.f.pl.

coûter v.

demander qqch à qqn v.

devoir v.

faire qqch v.

marché n.m.

médecin n.m.

mettre v.

monnaie n.f.

peu de prép.

pharmacie n.f.

pomme n.f.

pouvoir v.

prendre v.

faire la queue v.

remercier qqn v.

retard n.m.

revenir v.

téléphoner à qqn v.

tomate n.f.

vendre v.

viande n.f.

vouloir v.

Unité 4

après-midi n.m. ou f.

activité n.f.

automne n.m.

changer de qqch v.

cuisine n.f.

froid (m) adj.

décider de v.

déménager v.

dimanche n.m.

emploi du temps n.m.

ennuyer (s') v.

février n.m.

heure n.f.

logement n.m.

mètre carré n.m.

monter v.

minuit n.f.

nouveau (m), nouvelle (f) adj.

petit-déjeuner n.m.

pleuvoir v.

printemps n.m.

quand conj.

quart n.m.

quotidien (m), quotidienne (f) adj.

rendez-vous n.m.

reposer (se) v.

rester v.

saison n.f.

semaine n.f.

soir n.m.

soleil n.m.

travailler v.

Unité 5

collection n.

confortable adj.

connaître v.

d'habitude adv.

demain adv.

entrer v.

échanger v.

jouer v.

partir v.

pourquoi adv.

préférer v.

promener (se) v.

regarder qqn, qqch v.

restaurant n.m.

sport n.m. sortir v.

sport n.m.

lire qqch v.

lèche-vitrine n.m.

magnifique adj.

moi pr.

original adj.

parce que conj.

plus adv.

télévision n.f.

tennis n.m.

vacances n.f.pl.

vélo n.m.

visiter v.

vivre v.

terrasse n.f.

Unité **6**

anniversaire n.m.

attendre v.

boire v.

cadeau n.m.

carnaval n.m.

cassoulet n.m.

comme prép.

connaître v.

costume n.m.

découvrir qqch v.

depuis prép.

discuter de qqch / avec qqn v.

essayer de v.

fête n.f.

finir qqch v.

heureux (m), **heureuse** (f) adj.

jeune (m, f) adj. ou n.

lui pr.

maintenant adv.

marier (se) v.

offrir v.

pot n.m.

prochain (m), **prochaine** (f) adj.

quelques adj.pl.

question n.f.

rire v.

savoir v.

sommeil n.m.

souhaiter qqch à qqn v.

souvenir n.m.

surprise n.f.

temps n.m.

traditionnel adj.m.

yeux n.m.pl.

Portfolio

Vous apprenez le français dans la classe et à l'extérieur.
Avec le portfolio, faites le point sur ce que vous savez faire maintenant.

Écouter

Je suis capable de …	assez bien	bien	très bien
– Comprendre les consignes d'activités, les questions ou explications simples du professeur ou des autres étudiants.			
– Comprendre globalement des dialogues courts.			
– Comprendre les différentes salutations et les formules de politesse.			
– Comprendre des descriptions de personnes physiques.			
– Comprendre des témoignages de la vie quotidienne.			
– Comprendre des informations météo simples.			
– Comprendre des informations utiles dans les commerces.			
– Comprendre des explications simples sur des traditions françaises et francophones.			

Parler – Échanger

Je suis capable de …	assez bien	bien	très bien
– Poser des questions pour demander des explications, dire que je ne comprends pas, discuter avec les personnes du groupe et avec le professeur.			
– Saluer, présenter quelqu'un, utiliser des formules de politesse, tutoyer et vouvoyer.			
– Demander à quelqu'un de ses nouvelles et réagir.			
– Prendre rendez-vous par téléphone.			
– Échanger sur les activités quotidiennes et les loisirs.			
– Dire ce que j'aime et ce que je n'aime pas, expliquer ce que je préfère.			
– Parler du temps qu'il fait.			
– Demander mon chemin et expliquer un itinéraire avec les moyens de transport possibles.			
– Demander un service ou un produit courant.			
– Parler des lieux de vie (ville, quartier, rue, logement).			
– Expliquer des traditions, des fêtes.			
– Raconter des souvenirs.			
– Interroger quelqu'un pour faire une enquête.			

Lire

Je suis capable de ...	assez bien	bien	très bien
– Comprendre les consignes d'activités ou les explications du livre.			
– Comprendre des textes très courts : petites annonces et courriels.			
– Comprendre des cartes d'invitation ou de vœux, des cartes postales.			
– Comprendre des annonces publicitaires simples.			
– Comprendre globalement des textes informatifs courts et très simples qui parlent de la vie quotidienne.			

Écrire

Je suis capable de ...	assez bien	bien	très bien
– Remplir des formulaires : état civil, inscription à des organismes.			
– Écrire des petites annonces et des courriels sur des thèmes personnels.			
– Rédiger des cartes d'invitation ou de vœux, des cartes postales.			
– Écrire des annonces immobilières (appartements et maisons).			
– Faire une liste de courses.			
– Rédiger de courts textes présentant des personnes et leurs activités.			
– Écrire un journal de vie.			

Vivre en français

	assez bien	bien	très bien
– Je connais les services de mon centre de langue et je sais les situer sur un plan.			
– Je connais les différentes manières de se saluer.			
– Je connais l'identité et les goûts des étudiants de mon groupe.			
– Je connais le fonctionnement des rues et des adresses.			
– Je connais le fonctionnement des transports.			
– Je sais reconnaître les symboles et les sigles courants de la vie quotidienne.			
– Je connais l'organisation administrative du pays où j'apprends le français.			
– Je sais repérer les différents types de commerces (standard, bio, équitable, etc.).			
– Je connais les horaires d'ouverture des commerces.			
– Je connais les produits courants qu'on trouve.			
– Je sais comment payer dans chaque commerce (espèces, chèque, carte bancaire).			
– Je connais la manière de se loger des étudiants.			
– Je connais le coût de la vie quotidienne.			
– Je connais les différents types de loisirs dans ma ville.			
– Je sais où je peux trouver des informations sur ces loisirs.			
– Je connais des fêtes françaises et francophones.			
– Je sais enquêter sur les activités de la vie quotidienne (achats, loisirs, logement, transports, fêtes).			

Transcriptions

Unité 1 À la découverte **de la classe**

▸ Page 11 Exercice 4 **Se Saluer**

f. Écoutez l'intonation.

1. Ça va ?
2. Le groupe est sympathique.
3. Le professeur est dynamique.
4. Pas trop lourde ta valise ?
5. Ça ne va pas ?
6. Bonne journée.
7. C'est fini ?

▸ Page 12 Exercice 5 **Les mots de la classe**

b. Écoutez et comprenez les mots du professeur.

1. Observez.
2. Écoutez.
3. Répétez.
4. Lisez.
5. Écrivez.
6. Cochez.
7. Entourez.
8. Répondez.
9. Complétez.
10. Reliez.

▸ Page 13 Exercice 6 **Se présenter**

a. Écoutez le dialogue.

LE PRÉSENTATEUR : Aujourd'hui nous sommes à Bruxelles. C'est un *Questions pour un champion* sur la langue française. Les 10 candidats sont tous étrangers, ils étudient le français. Mademoiselle… vous êtes… ?
TATIANA : Russe, je suis russe… et je m'appelle Tatiana.
ANA : Je m'appelle Ana, je suis chilienne.
NICK : Je m'appelle Nick, je suis américain.
MILENA : Je m'appelle Milena, je suis suédoise.
HAO : Je m'appelle Hao, je suis chinois.
STEVE : Je m'appelle Steve, je suis australien.
CRISTINA : Je m'appelle Cristina, je suis espagnole.
FRIDA : Je m'appelle Frida, je suis mexicaine.
JAVIER : Je m'appelle Javier, je suis espagnol.
YVES : Je m'appelle Yves, je suis belge.

▸ Page 14 Exercice 9 **Les jours de la semaine**

a. Écoutez et remettez dans l'agenda les jours de la semaine dans l'ordre.
lundi – mardi – mercredi – jeudi – vendredi – samedi – dimanche

b. Écoutez. Complétez l'agenda avec les mots.
lundi / cinéma – mardi / banque – mercredi / tennis – jeudi / match – vendredi / restaurant – samedi / bar – dimanche / théâtre

▸ Page 15 Exercice 10 **Étudier**

a. Écoutez et complétez avec le/la/l'/les.
1. les mathématiques – 2. la médecine – 3. l'urbanisme – 4. le français – 5. le journalisme – 6. les Beaux-Arts – 7. la chimie – 8. les sciences politiques – 9. l'environnement – 10. les arts du spectacle – 11. l'architecture – 12. l'informatique

▸ Page 17 Exercice 13 **J'aime/Je n'aime pas**

b. Écoutez le portrait de Cécilia.
J'aime le soleil, la mer, la musique, la danse, le thé et le chocolat.
Je n'aime pas la pluie, le bruit, le café, les enfants, le football et les films d'amour.

▸ Page 18 Exercice 14 **Les prénoms populaires en France en 2005**

c. Écoutez et complétez.
Prénoms de filles : 1. Léa – 2. Manon – 3. Emma – 4. Clara – 5. Inès – 6. Chloé – 7. Jade – 8. Sarah – 9. Camille – 10. Lucie
Prénoms de garçons : 1. Lucas – 2. Théo – 3. Mattéo – 4. Enzo – 5. Mathis – 6. Hugo – 7. Killian – 8. Léo – 9. Maxime – 10. Thomas

▸ Page 19 Exercice 15 **Se saluer en France**

c. Écoutez. Combien de bises fait-on à Ajaccio, Valence et Nantes ?
À Ajaccio, on fait 2 bises… à Valence 3, à Nantes 4.

Unité 2 À la découverte **des rues**

▸ Page 25 Exercice 3 **Vous habitez où ?**

a. Écoutez et complétez le tableau comme dans l'exemple.
Exemple : – Quelle est votre adresse ?
– Moi ? J'habite près de la gare. 35 rue de la gare.

Dialogue 1
– Tu habites où ?
– À côté de la place de la Nation.
– Ah bon ? Dans quelle rue ?
– Rue de la République.
– Oh ! moi aussi ! Quel numéro ?
– 28.
– Moi, le 32. On est voisins !

Dialogue 2
– Vous vous appelez comment ?
– Diego Ramirez.
– Et votre adresse ?
– 12 rue d'Italie.
– C'est la résidence universitaire ?
– Oui… oui.

Dialogue 3
– Allô Julien ? C'est Christophe.
– Salut.
– Il y a une fête chez Stéphanie, tu y vas ?
– Oui.
– Heu… c'est à quelle adresse ?
– Oh, c'est à côté.
– À côté oui, mais à quelle adresse ?
– Pas loin du cinéma.
– Bon, pas loin du cinéma, mais à quelle adresse ?
– Heu… 28… non 38… heu non… 28 rue de la liberté.
– Eh ben voilà !

▸ Page 26 Exercice 5 **Téléphone**

a. Écoutez et écrivez les numéros de téléphone.
1. Pompiers : 18
2. Police : 17
3. Taxi : 04 42 12 24 24
4. Secrétariat : 01 45 16 13 51
5. Sébastien Loran : 02 40 31 19 15

b. Écoutez et complétez le tableau.
– Sophie, s'il vous plaît, je cherche le numéro de M. Charpin.
– M. Charpin, de la société Véga ?
– Oui, c'est ça.
– Alors : 04 42 61 37 16.
– Attendez 04 52 61…
– Non, 42 61 37 16.
– Alors 04 42 61 37 13. C'est ça ?
– 37 16, Monsieur !
– Ah d'accord. Merci Sophie.

▸ Page 27 Exercice 6 **Vie de quartier**

d. Écoutez et remplissez le tableau.
Exemple : C'est une rue animée. Il y a des commerces, des bus, des voitures, des piétons.
1. Il y a des arbres, des fleurs, des enfants, des jeux. C'est un parc.
2. Il y a des piétons, des magasins, il n'y a pas de voitures, pas de bus. C'est une rue piétonne.
3. C'est une université. Il y a des étudiants, des professeurs, des salles de cours, des bureaux, une cafétéria.

e. Ils parlent de leur quartier. Écoutez et notez
les avantages et les inconvénients.
Exemple :
– Monsieur, vous aimez votre quartier ?
*– Ben oui, c'est calme. Y a pas beaucoup de commerces. Mais j'ai les
bus et le métro.*
1. – Madame, vous aimez votre quartier ?
   – Oui, j'habite vers la place de l'Opéra, dans une petite rue. Y a le mé-
   tro à côté, les magasins, l'opéra, les musées. C'est une rue piétonne,
   pas de circulation. C'est un peu bruyant le soir, surtout le week-end.
   Mais c'est bien.
2. – Vous habitez par ici ?
   – Oui, oui.
   – C'est bien ?
   – Oui, pas mal. C'est pas loin de l'université. Y a un grand parc à côté.
   Mais c'est une zone de supermarchés. Y a des voitures. Et pas un café !
3. – Et vous, vous habitez ici aussi ?
   – Ah non, moi c'est la banlieue. Y a tout, les supermarchés, un stade
   de foot, les écoles. Mais c'est pas beau.
   Des grands immeubles. Et le soir, les bus…

▶ **Page 28** Exercice 9 **Déplacements**

a. Écoutez et reliez les enregistrements et les photos.
Exemple : 1. Bonjour, un ticket s'il vous plaît.
Voilà, un euro cinquante.
2. Embarquement pour le vol 564 à destination de Marrakech, porte B3
   terminal 2.
3. Le TGV Thalys numéro 3452 va entrer en gare au quai numéro 7.
4. Attention monsieur, vous êtes sur une piste cyclable !
5. C'est parti pour 24 heures de traversée.
6. Mais enfin, avance ! C'est vert !
7. – Ah, le printemps arrive !
   – Super, fini la voiture !
   – Ouais, c'est plus pratique pour circuler en ville.
8. – Tu patines bien, tu sais !
   – Toi aussi, t'es pas mal.
9. Station Porte des postes.

▶ **Page 29** Exercice 9 **Déplacements**

d. Écoutez et repérez les stations de métro.
UNE TOURISTE : Excusez-moi monsieur, pour aller à la gare ?
UN PASSANT : Heu, vous avez un plan ?
UNE TOURISTE : Oui,…voilà
UN PASSANT : Alors on est sur le Vieux Port ici. Vous êtes pressée ?
UNE TOURISTE : Un peu oui.
UN PASSANT : Alors vous prenez à gauche, il y a une station
de métro, Vieux Port. C'est la ligne 1.
UNE TOURISTE : La ligne bleue !
UN PASSANT : Oui, bon. Et vous descendez à la deuxième station, Saint-
Charles. Ça va ?
UNE TOURISTE : Ça va, d'accord. Merci !
UN PASSANT : De rien, bon voyage !

▶ **Page 30** Exercice 10 **Adresses**

c. Écoutez et indiquez sur le plan où passe le facteur.
L'ENQUÊTEUR : Bonjour monsieur, vous êtes facteur ?
LE FACTEUR : Oui.
L'ENQUÊTEUR : Vous pouvez nous parler de votre tournée ?
LE FACTEUR : Ben, je distribue mon courrier dans le quartier Monplaisir-
Lumière. Je commence par la place Ambroise Courtois, la rue du Premier
Film, la rue Villon, l'avenue des Frères Lumière. Enfin, beaucoup de rues
quoi.
L'ENQUÊTEUR : Et quelles sont les adresses que vous aimez ?
LE FACTEUR : J'aime bien le 1 rue du Premier Film. C'est l'adresse du musée
du cinéma. La rue est calme, il n'y a pas de circulation. Il y a des maisons.
L'ENQUÊTEUR : Et puis ?
LE FACTEUR : J'aime bien le 23 avenue des Frères Lumière, au deuxième
étage il y a une vieille dame. Elle parle beaucoup. Elle est sympathique.
Au 9, il y a un café, très sympa aussi. Mais l'avenue est très bruyante, il y
a beaucoup de bus, de voitures.
Et puis j'aime la place Ambroise Courtois, c'est animé le matin, il y a un
marché, beaucoup de gens. C'est bien. Ah oui, je n'aime pas du tout
le 17 rue Villon. Je n'aime pas cette adresse !
L'ENQUÊTEUR : Pourquoi ?
LE FACTEUR : C'est une maison avec un gros chien !

Unité 3 À la découverte des commerces

▶ **Page 38** Exercice 2 **Conversations dans les commerces**

b. Écoutez les deux autres dialogues.
Au restaurant
LE CLIENT : S'il vous plaît. On peut commander ?
LE GARÇON : Oui, j'arrive.
LA CLIENTE : Je vais prendre une salade niçoise… je suis au régime !
LE CLIENT : Et bien pas moi. Je voudrais une entrecôte avec des frites.
LE GARÇON : Alors, une salade niçoise et une entrecôte frites. Et qu'est-ce
que vous prenez comme boisson ?
LE CLIENT : On prend du vin ?… une bouteille de vin ?
LA CLIENTE : Non, pas pour moi… je suis en voiture.
LE CLIENT : Bon, et bien un verre de vin rouge pour moi et une carafe
d'eau, s'il vous plaît.
LE GARÇON : Un verre de vin rouge et une carafe d'eau.
LA CLIENTE : On peut avoir du pain, une corbeille de pain, s'il vous plaît ?
Au supermarché
L'HOMME : Allô…c'est moi, je suis au supermarché… je fais les courses.
Je ne trouve pas la liste des courses !
LA FEMME : Évidemment, elle est sur la table de la cuisine !
L'HOMME : On a encore des fruits ?
LA FEMME : Non, prends un kilo de pommes et 500 grammes de raisin blanc.
L'HOMME : Je prends du lait ?
LA FEMME : Oui, un litre de lait et puis achète aussi du jambon, 4 tranches
de jambon… et n'oublie pas la confiture, un gros pot de confiture
de fraises pour nos tartines du matin.
L'HOMME : Bon, c'est tout ? Je vais à la caisse…bisous.

▶ **Page 39** Exercice 3 **Que faut-il manger ?**

d. Écoutez et complétez le tableau.
1. Elle mange trop de gâteaux, elle est gourmande.
2. Nous mangeons assez de légumes, nous sommes en bonne santé.
3. Il boit beaucoup d'eau, c'est un grand sportif.
4. Prends un peu de vin, tu ne conduis pas.
5. Je ne prends pas de viande, je suis végétarienne.

▶ **Page 40** Exercice 4 **Quel est le problème ?**

a. Écoutez et cochez la bonne réponse.
1. On ferme.
2. Encore 50 centimes.
3. Je ne peux pas vous donner ce médicament, vous n'avez pas d'ordonnance !
4. Vous pouvez éteindre votre cigarette, s'il vous plaît ?
5. Tous les postes sont occupés.
6. C'est ouvert de 9 h 30 à 16 h 30.

▶ **Page 41** Exercice 5 **Horaires**

Écoutez et complétez.
1. La banque est ouverte du lundi au vendredi de 8 h 30 à 17 h 00,
   le samedi de 9 h 00 à 12 h 00.
2. La parfumerie est ouverte du lundi au vendredi de 10 h 00 à 20 h 00,
   le samedi de 9 h 30 à 20 h 30.
3. La pharmacie est ouverte le lundi de 14 h 00 à 19 h 00, du mardi
   au samedi de 9 h 00 à 12 h 00 et de 14 h 30 à 19 h 45.
4. La boulangerie est ouverte tous les jours de 7 h 00 à 20 h 30.

▶ **Page 42** Exercice 6 **Ouvrir un compte bancaire**

a. Écoutez le dialogue et complétez le texte.
LEI : Bonjour, je suis une étudiante chinoise et je voudrais ouvrir un compte
dans votre banque.
L'EMPLOYÉE : Eh bien, vous devez apporter votre passeport, votre carte
de séjour et un justificatif de domicile.
LEI : Un justificatif de domicile ?
L'EMPLOYÉE : Vous pouvez apporter une facture d'EDF ou de téléphone.
LEI : C'est tout ?
L'EMPLOYÉE : Oui mais avant de venir, il faut prendre rendez-vous avec le
responsable de l'agence.
LEI : Je peux prendre rendez-vous tout de suite ?
L'EMPLOYÉE : Oui bien sûr, samedi si vous voulez à 10 h 45.
LEI : Oui, je peux
L'EMPLOYÉE : Vous pouvez me donner votre nom ?
LEI : ZHAN Lei. Z-H-A-N, L-E-I.
L'EMPLOYÉE : Bon, c'est noté. Á samedi, Mademoiselle Zhan.
LEI : Au revoir, Madame, merci beaucoup.

▶ Page 43 Exercice 7 **Publicité**

c. Écoutez les mots du tableau. Notez les liaisons et les enchaînements.
ce portable – ce prix – cet automne – cet écran – cette imprimante – cette offre – ces magasins – ces prix – ces offres – ces imprimantes

Unité **4** À la découverte de la vie quotidienne

▶ Page 52 Exercice 2 **Emplois du temps**

a. Que fait le chauffeur de bus ? Remplissez la page de l'agenda.
ENQUÊTRICE : Bonjour Monsieur, c'est pour une enquête. Je peux vous poser des questions ?
CHAUFFEUR : Oui, bien sûr.
ENQUÊTRICE : Vous travaillez pour quelle ligne de bus ?
CHAUFFEUR : Je travaille normalement pour le ramassage scolaire d'un lycée international. Dans mon bus on parle toutes les langues.
ENQUÊTRICE : Quels sont vos horaires de travail ?
CHAUFFEUR : Je me lève à sept heures et demie le matin et je pars à pied au dépôt de bus. Je commence mon travail à huit heures et demie, les élèves commencent les cours à neuf heures. Une demi-heure après, je vais chez moi, je mange à la maison avec ma femme et je repars pour une heure au dépôt. Je travaille d'une heure à trois heures. Je vais à la maison et je travaille encore de cinq heures à six heures, pour aller chercher les lycéens. Je termine mes journées à six heures du soir. Je travaille le samedi matin mais jamais le dimanche.
ENQUÊTRICE : Merci monsieur.

b. Écoutez et notez les horaires.
Pour le groupe B, voici l'emploi du temps du premier semestre :
Lundi   9 h 45-11 h 15 Expression écrite
            11 h 30-13 h Expression orale
            13 h 15-14 h 45 Grammaire
            16 h 30-18 h Option « Cinéma »
Mardi   8 h 30-10 h 30 Civilisation
            13 h 15-14 h 45 Grammaire
            15 h-16 h 30 Vocabulaire
            17 h-18 h 30 Option « Français de l'entreprise »
Mercredi 9 h 30-11 h 30 Compréhension de l'oral
            13 h-14 h 30 Expression orale
            15 h-17 h 30 Multimédia
Vendredi 8 h-9 h 30 Option « Francophonie »
            9 h 45-11 h 15 Lecture de presse
            11 h 30-13 h Compréhension de l'oral/Expression orale
            14 h 15-15 h 45 Expression écrite

c. Écoutez l'annonce des changements et reconstituez l'emploi du temps du semestre 2.
Pour le deuxième semestre, attention, il y a des changements :
– Le jour libre n'est plus le jeudi mais le mercredi.
– Le lundi ne change pas.
– Le cours de civilisation du mardi matin a lieu le vendredi matin à la même heure.
– L'option « Francophonie » du vendredi remplace l'option « Français de l'entreprise » le mardi à 17 h.
– L'emploi du temps du jeudi est le suivant :
  • 9 h-11h : compréhension de l'oral
  • 11 h 30-13 h : expression orale
  • 15 h-16 h 30 : Option « Français de l'entreprise ».
– La séance de multimédia a lieu le mardi matin à 8 h 30.

▶ Page 56 Exercice 7 [õ] [ã] [ɛ̃]

Écoutez et cochez le ou les son(s) entendu(s).
Exemple : le grand logement
2. le pain du matin – 3. dans la maison – 4. un bon bain – 5. des cheveux blonds – 6. des cheveux blancs – 7. le croissant du matin – 8. c'est combien ? – 9. une annonce intéressante – 10. un micro-ondes et un four.

▶ Page 58 Exercice 11 **Horaires de piscine**

b. Peuvent-ils aller à la piscine ? Écoutez et cochez la bonne réponse.
1. – On va à la piscine jeudi après-midi ?
   – Pourquoi pas. Mais avant mon cours de 4 heures.
2. Je travaille à côté de la piscine. Quand il fait beau, je vais me baigner tous les jours au moment de la pause-déjeuner.

3. Je fais du sport pendant le week-end. Je vais à la piscine le matin et je fais du vélo l'après-midi.
4. – Tu fais du sport ?
   – Oui, le soir après le travail, pour me détendre. Je vais à la piscine 3 fois par semaine.
   – Tu sors du travail à quelle heure ?
   – À 6 h et demie.
   – Tu restes combien de temps ?
   – Une heure à peu près.

▶ Page 59 Exercice 12 **Rendez-vous chez le médecin**

a. Écoutez les deux dialogues et relevez les informations.
Dialogue 1
– Cabinet du docteur Riboud.
– Oui, bonjour. J'appelle pour un rendez-vous.
– Vous êtes une patiente du Dr Riboud ?
– Oui, oui.
– C'est urgent ?
– Non, pas spécialement. C'est pour une visite de contrôle.
– Vous êtes libre à quel moment de la journée ?
– En fin d'après-midi, à partir de 5 h et demie.
– Alors, j'ai… jeudi 15 à 17 h 45.
– Très bien.
– Vous êtes Madame ?
– Esteban.
– Prénom ?
– Julie.
– Votre téléphone ?
– 02 44 27 21 13
– Très bien. Jeudi 15, 17 h 45.
– Merci. Au revoir.
– Au revoir.

Dialogue 2
– Cabinet du Dr Falber.
– Bonjour. Je voudrais voir le Dr Falber. J'ai très mal à la gorge depuis
– Deux jours. Je suis pas bien.
– Vous avez de la fièvre ?
– Pas beaucoup. Mais j'ai mal et je suis très fatiguée.
– Venez demain matin, à 9 h 15.
– C'est pas possible aujourd'hui ?
– Non, le Dr Falber est très occupé. C'est pas possible.
– Je suis vraiment pas bien.
– Écoutez, venez ce soir vers 18 h, mais il y a déjà deux personnes.
– D'accord. Merci beaucoup.
– Votre nom s'il vous plaît ?
– Madame Meunier.
– D'accord.
– Au revoir.

Unité **5** À la découverte **des loisirs**

▶ Page 66 Exercice 3 **Loisirs**

b. Écoutez. De quels loisirs parlent-ils ?
L'ENQUÊTEUR : Bonjour Monsieur, c'est pour un sondage. Je voudrais connaître vos loisirs.
CHRISTOPHE : Moi, je suis fan de moto, la moto c'est toute ma vie ! Je vois mes amis motards, on se donne rendez-vous le week-end et on part à moto, on fait de grandes balades. Comme ça on visite beaucoup de régions de France. Et cette année, je suis vraiment heureux parce que ma femme a passé son permis moto. Alors maintenant, chacun sa moto !
L'ENQUÊTEUR : Avez-vous d'autres loisirs ?
CHRISTOPHE : Oui, les jeux sur ordinateur et j'aime bien aller nager à la piscine, quand j'ai le temps.
L'ENQUÊTEUR : Et votre femme ?
CHRISTOPHE : Elle fait de la gym régulièrement, dans un club. Elle adore lire, des livres historiques ou bien des romans. Elle s'intéresse à beaucoup de choses. Et puis, on aime bien aller au cinéma.

▶ Page 68 Exercice 5 **Toi et moi**

Écoutez et complétez.
1. – Qu'est-ce que vous avez fait hier ?
   – Moi ? J'ai pris un verre avec des copains. Et vous ?
2. – Je suis allé au musée hier.

– Toi, au musée ? Tout seul ? Sans ta copine ?
– Oui, je ne suis pas toujours avec elle ! Et toi ?
– Moi, je suis allé au cinéma.
3. – Regarde, c'est lui, mon prof de danse !
4. – Qui a fini tout le chocolat ?
– C'est pas nous, c'est eux !

▶ **Page 70** Exercice 7 **Questions**

Écoutez les questions.
1. Vous habitez où ?
2. Vous partez quand ?
3. Vous parlez quelles langues ?
4. Le cours commence à quelle heure ?
5. Vous avez des enfants ?
6. Vous voyagez comment ?

▶ **Page 70** Exercice 8 **Futur proche**

a. Écoutez et relevez les verbes au futur proche.
1. Dépêche-toi, le train va partir !
2. La bibliothèque va fermer ses portes dans 15 minutes.
3. – Les enfants sont là ?
– Non, ils vont bientôt rentrer.
4. – Tu refais ta chambre ?
– Oui, en bleu et jaune.
– Mm… ça va être joli.
5. – Attention tu vas tomber !
– Hein ? Quoi ? Aahh… !
– Trop tard.
6. – Alors en route pour la Corse ?
– Non, le voyage est annulé. La mère d'Annie est malade.
– Ah. Et qu'est-ce que vous allez faire ?
– Ben, on va rester ici, hein.

▶ **Page 70** Exercice 9 **[y] [u]**

a. Écoutez et cochez le ou les sons entendu(s).
1. C'est le début.
2. Merci beaucoup.
3. J'ai lu.
4. Il a plu.
5. Il est debout.
6. Tu es sûr ?
7. C'est nous !
8. C'est nul
9. C'est dur.
10. C'est doux.
11. Elle habite où ?
12. Il a couru.

▶ **Page 73** Exercice 13 **Insolite**

a. Écoutez et répondez.
LE JOURNALISTE : Radio-Alternance bonjour. Bienvenue
à notre rendez-vous du samedi matin.
Aujourd'hui nous allons parler de tourisme insolite. Dans toutes les villes,
il y a les endroits connus, que tout le monde visite, mais il y a aussi des
endroits plus insolites. Vous avez fait cette expérience, vous connaissez
un endroit qui n'existe pas sur les guides touristiques, ou bien vous avez
visité quelque chose autrement, appelez-nous au standard de Radio-
Alternance au 01 43 12 12 12.
Premier appel, c'est Laurent qui nous appelle de Montpellier.
Laurent, vous travaillez dans une librairie un peu spéciale.
LAURENT : Oui. C'est une librairie-restaurant ou un restaurant-librairie, com-
me on veut. On rentre dans la librairie, on achète des livres, et au premier
étage il y a un restaurant. On peut monter, manger et lire ses livres.
LE JOURNALISTE : Ça, c'est un magasin original. Et il s'appelle comment ?
LAURENT : Le café-livre..
LE JOURNALISTE : Merci Laurent ! C'est Arturo, maintenant qui nous parle
de vélo'v. Le vélo'v, c'est le vélo-ville, c'est tout nouveau, et c'est à Lyon.
Pour cinquante centimes de l'heure, on peut prendre un vélo, et se
déplacer dans toute la ville. Arturo, le vélo'v, vous connaissez bien.
ARTURO : Ah, oui, c'est vraiment génial. Moi, je suis à Lyon depuis un mois
et je visite tout comme ça. Et pour le week-end, y a une piste cyclable de
10 km qui traverse la ville et qui va jusqu'à un grand lac. Et à l'arrivée, on
peut se baigner, pique-niquer. C'est chouette. On découvre la ville à vélo.
LE JOURNALISTE : Merci Arturo, et bonnes promenades.
Rendez-vous la semaine prochaine pour la suite de ces découvertes insolites.

Unité **6** À la découverte **des fêtes**

▶ **Page 79** Exercice 1 **Les fêtes en France**

c. Écoutez. Associez chaque dialogue à une photo.
A. – On va tirer les rois. Qui se met sous la table ?
– Pas moi ! C'est elle la plus jeune !
– Bon d'accord !
– Allez… cette part, c'est pour qui ?

– C'est pour Alain !
B. – Petit Papa Noël, quand tu descendras du ciel avec tes jouets par
milliers, n'oublie pas mes petits souliers !
C. – Tu vas voir le défilé militaire demain matin ?
– Oh non ! Y a toujours trop de monde ! Par contre je vais au bal
ce soir. Et toi ?
– Ben oui comme d'habitude !
D. – Tu connais la dernière ? Pas de cours demain. La prof est malade !
– Super, on va pouvoir faire la grasse matinée !
– Poisson d'avril !
E. – Tu viens avec moi au cimetière porter les chrysanthèmes ?
– Oui… quand ?
– Vendredi vers 18 h 00 ?
– D'accord !
F. – Ça y est les enfants… les cloches sont passées ! Prenez vos paniers,
on va chercher les œufs !
– Regardez, j'ai trouvé un lapin !
– Et moi une poule !
G. – Alors, qu'est-ce que
je te souhaite cette année ?
– Du boulot … et des voyages ! Et toi ?
– Et bien moi, moins de boulot et plus de voyages !
H. – Tu vas te déguiser en quoi ?
– En princesse ! Et toi ?
– J'ai pas encore trouvé !
I. – Un petit brin de muguet Mademoiselle… pour avoir du bonheur
tout l'année !
– C'est combien ?
J. – Le beaujolais nouveau est arrivé !

▶ **Page 81** Exercice 4 **Offrir/recevoir un cadeau**

a. Écoutez. Dites si la personne qui parle offre ou reçoit un cadeau.
1. C'est pour moi ?
2. Bon anniversaire Jean-Noël !
3. Tiens, c'est pour toi !
4. Il ne fallait pas, c'est trop !
5. Tu peux le changer si tu l'as déjà.
6. C'est magnifique !
7. C'est pas grand-chose,
juste un petit souvenir.
8. J'ai un petit cadeau pour vous.
9. Qu'est-ce que c'est ?
10. Je peux l'ouvrir ?

▶ **Page 82** Exercice 5 **Les mots et les couleurs**

c. Écoutez ces phrases.
1. Regarde ! Là ! Un serpent… !!! Maman !
2. Qu'est-ce qu'il y a ? Ça va pas ? Tu es malade ? Tu t'sens pas bien ?
3. Oh Pierre, il est déprimé.
4. Ah ah ah… c'est pas vraiment drôle, ça ne m'amuse pas… Mais pas du tout !
5. Oh là là… il fait un froid de canard, on se gèle. Vite, vite, on rentre…
6. Ah non ! C'est pas possible. Encore ? J'en ai marre !!!
7. T'es vraiment super toi, tu vois toujours le bon côté des choses…c'est
agréable !

▶ **Page 83** Exercice 6 **Les pronoms compléments indirects**

c. Écoutez.
1. Le professeur lui parle.
2. Son amoureux lui offre des fleurs.
3. Elle leur écrit des lettres.
4. Je leur donne 1 euro.
5. Vous me téléphonez ?
6. Tu nous achètes du pain ?
7. Il va vous envoyer un colis.
8. Elles nous obéissent.

▶ **Page 84** Exercice 7 **[s]/[z]**

a. Écoutez et cochez le son entendu.
1. Prends ce coussin. – 2. Voilà mon cousin. – 3. Je pars dans le désert.
– 4. Je ne veux pas de dessert. – 5. Poisson ou viande ? – 6. C'est du
poison ? – 7. On est douze. – 8. Elle est douce. – 9. Mets la lettre dans
la case. – 10. Il casse tout, cet enfant !

▶ **Page 87** Exercice 10 **La fête des voisins**

c. Écoutez cette interview de Marie sur la fête des voisins.
ANNE : Salut, Marie ! Alors, ça s'est bien passé ta fête des voisins ?
MARIE : Super… On a vraiment passé un bon moment !
ANNE : Vous avez fait ça où ?
MARIE : Dans le jardin des voisins. Ils ont un jardin immense ! On a juste
apporté nos chaises !
ANNE : Vous étiez nombreux ?
MARIE : Une trentaine… des jeunes, des vieux… il y avait même un bébé !
ANNE : Qu'est-ce que vous avez fait ?
MARIE : On est tous arrivés avec quelque chose à manger et à boire…
alors on a goûté à tout !

J'ai découvert plein de nouvelles recettes ! Et puis, on a pris le temps de se parler. En général, on est toujours pressés… on se croise seulement… on se connaît pas vraiment même si on se voit tous les jours ! Tiens par exemple, j'ai trouvé quelqu'un pour venir courir avec moi le matin et puis Jean-Luc va pouvoir co-voiturer… un des voisins travaille dans la même boîte que lui.
ANNE : Super ! Vous avez fini tard ?
MARIE : Vers 11 heures du soir… c'était vraiment bien ! On a rien fait dans ton immeuble ?
ANNE : Non, dommage, l'année prochaine peut-être…

▶ **Page 89** Exercice 12 **Fêtes modernes**

Écoutez la description de ces trois nouvelles fêtes : les journées du patrimoine, la fête du cinéma, la fête de la musique.

1. Depuis 1982, oui, c'est ça 1982, le 21 juin la fête de la musique est une grande manifestation populaire, populaire et gratuite, le rendez-vous de milliers de musiciens amateurs et professionnels, de millions de spectateurs à travers de nombreux pays. Tous les genres et toutes les formes de musique sont représentés.

2. Chaque fin du mois de juin, quelques jours après le début de l'été, les cinémas français font la fête. Pendant 3 jours, du dimanche au mardi, les spectateurs peuvent voir les films à un tarif exceptionnel. Ils achètent une place plein tarif pour le premier film et ils peuvent assister à toutes les autres séances pour 2 euros. Chaque spectateur voit en moyenne 2 à 3 films. Cette fête a été créée en 1984. Il y a chaque année entre 3 et 4 millions de spectateurs.

3. Créées en 1984 par le ministère de la Culture, les journées du patrimoine ont lieu tous les ans, le troisième week-end de septembre. C'est l'événement culturel de la rentrée. Il y a chaque année plus de 11 millions de visites. On peut visiter des bâtiments publics (le Palais de l'Élysée, des ministères, des ambassades, des préfectures, des mairies…) et privés (châteaux, villas, usines) qui ouvrent exceptionnellement leurs portes. Depuis 1991, 47 pays européens organisent les journées européennes du patrimoine.

▶ **Page 89** Exercice 13 **Tour de France des traditions culinaires**

a. Écoutez et suivez le chemin sur la carte de France à la fin du livre.
Voyageurs étrangers, nous vous emmenons aujourd'hui faire un tour de France des traditions culinaires ! Nous voilà à Reims, dans la région du champagne. C'est là qu'on produit cette boisson à bulles célèbre dans le monde entier ! On va s'arrêter boire un kir royal, de la liqueur de cassis avec du champagne. Vous ne commencez pas à avoir faim ? Allez, on repart au nord pour notre repas gastronomique. On nous attend à Lille. Ah ! Lille et sa brocante qui attire chaque année des milliers de visiteurs ! En entrée, une flamiche, une délicieuse tarte aux poireaux. J'espère que vous aimez les poireaux ! Bon, maintenant passons aux choses sérieuses, le plat principal. On descend cette fois vers le sud-ouest avec un bon cassoulet de Toulouse ! Toulouse ! Oh Toulouse, la ville rose, la place du Capitole, l'église Saint-Sernin ! Bon, vous avez gardé une place pour le fromage ? Chez nous, pas de repas sans fromage ! Un morceau de Roquefort dans les Cévennes, un bon fromage de brebis, remarquez, on avait le choix dans le pays aux 365 fromages ! Ça vous plaît ? Et pour finir en beauté : le dessert à Brest, quelque chose de doux, de sucré, une crêpe de Bretagne, fine comme de la dentelle, nature ? Avec du sucre ? Accompagnée d'un verre de cidre. Alors, vous avez aimé ce repas ?

Bilan 1

▶ **Page 92 Compréhension de l'oral**

Écoutez et dites ce que les personnes font.
1. J'aime les vacances… ah les voyages, le soleil, la mer, les filles !
2. Bonjour Messieurs. Enchanté de votre visite. Pas trop fatigués par le voyage ?
3. Mademoiselle, s'il vous plaît ? Vous pouvez me donner votre nom, votre prénom et votre numéro de carte ?
4. Je m'appelle Moshe, je suis israélien et j'étudie les sciences politiques.
5. Elle est iranienne. Elle s'appelle Neda. Elle ne parle pas français.

Bilan 2

▶ **Page 93 Compréhension de l'oral**

Écoutez le dialogue et décrivez ou dessinez Noémie.
Noémie arrive en train. Mathieu et Kader sont à la gare.
MATHIEU : Elle arrive.
KADER : Où ?
MATHIEU : Là-bas ! Derrière la jeune fille en bleu.

KADER : La brune avec le pull noir ?
MATHIEU : Brune ? Non, elle est blonde.
KADER : Ben, la fille avec le pull et le jean, là.
MATHIEU : Mais non, là à droite, avec la petite jupe rouge.
KADER : Ah ! Ouais …

Bilan 3

▶ **Page 94 Compréhension de l'oral**

Écoutez et dessinez le chemin de Martin.
MARTIN : Excusez-moi, Monsieur, je cherche la poste.
L'HOMME : La poste ? Vous voyez le bureau de tabac ? Là-bas sur votre droite ?
MARTIN : Oui.
L'HOMME : Eh bien, après le bureau de tabac, vous tournez à droite.
MARTIN : Après le bureau de tabac, je tourne à droite…
L'HOMME : Oui et vous continuez tout droit jusqu'à la pharmacie.
MARTIN : Tout droit jusqu'à la pharmacie ?
L'HOMME : Oui, c'est ça… la rue à gauche de la pharmacie, c'est la rue de la poste.
MARTIN : À gauche, en face de la pharmacie ?
L'HOMME : La poste est à 500 mètres, après la banque.
MARTIN : Elle est ouverte le samedi matin ?
L'HOMME : Bien sûr…mais dépêchez-vous ! C'est bientôt l'heure de la fermeture.
MARTIN : Merci Monsieur ! Au revoir.

Bilan 4

▶ **Page 95 Compréhension de l'oral**

Écoutez et complétez.
C'est la rentrée. Profitez de nos promotions. Du 30 août au 25 septembre, des prix sur tout le mobilier ! Le super bureau en bois, prix ordinaire 60 euros est à 45 euros seulement. La chaise de bureau, prix ordinaire 49 euros, est à 39 euros. La lampe de bureau disponible en noir, en rouge ou en vert, prix ordinaire 22 euros, pour vous : 14 euros 50. Et aussi des promos sur la vaisselle : 6 assiettes blanches pour 3 euros. Et venez voir nos verres, nos tasses, nos couverts… À bientôt chez Maison Plus !

Bilan 5

▶ **Page 96 Compréhension de l'oral**

a. Écoutez l'interview de la responsable de l'office du tourisme.
LA JOURNALISTE : Madame Mallet, vous êtes responsable de l'accueil à l'office du tourisme. Que conseillez-vous à quelqu'un qui souhaite visiter la ville pendant une journée ou deux ?
MADAME MALLET : Alors, pour visiter la ville, il y a la city card. C'est une carte que vous pouvez prendre pour 1 jour, 2 jours ou 3 jours. Elle coûte 18 euros pour la journée, 28 euros pour 2 jours. Vous pouvez entrer dans tous les musées, toutes les expositions. Et vous ne payez pas les transports en commun.
LA JOURNALISTE : Et c'est vraiment moins cher ?
MADAME MALLET : Ah oui, c'est intéressant parce qu'en moyenne, une visite guidée dans la ville, c'est 9 euros, une exposition, 10 euros. Avec la carte, c'est beaucoup moins cher.
LA JOURNALISTE : Vous avez d'autres formules ?
MADAME MALLET : On propose aussi les week-ends découverte : 2 nuits dans un hôtel, plus la city card pour 2 jours, plus un repas dans un restaurant typique.
LA JOURNALISTE : Tout ça est très intéressant. Merci beaucoup.
MADAME MALLET : Je vous en prie.

BILAN 6 – VERS LE DELF A1
▶ **Page 97 Compréhension de l'oral**

Écoutez ce document sur Jack Lang.
Aujourd'hui, nous sommes le 21 juin. Cette année encore des millions de personnes vont descendre dans la rue pour écouter et découvrir des musiciens. Depuis 1982, la fête de la musique est un rendez-vous populaire. Elle connaît aujourd'hui un grand succès en France et dans de nombreux pays.
Jack Lang est l'homme à l'origine de cette fête. Il est né le 2 septembre 1939 à Mirecourt dans les Vosges. C'est un passionné de théâtre. Il a créé à Nancy le Festival international du théâtre et il l'a dirigé de 1963 à 1977. Il a été plusieurs fois ministre de la Culture de 1981 à 1986. Il a fait des études de droit et il est diplômé de l'Institut d'Etudes Politiques de Paris. Il a enseigné le droit international à l'Université de Paris X-Nanterre de 1986 à 1988.

Corrigés

Unité 1 À la découverte **de la classe**

▶ **Page 9** Exercice 1 b

	−	✎
L'italien	=	=
Le chinois	≠	≠
L'anglais	≠	≠
L'allemand	≠	≠
L'espagnol	=	=
Le grec	≠	≠
L'arabe	≠	≠
Le japonais	≠	≠
L'hébreu	≠	≠

▶ **Page 11** Exercice 4 c

D1	D2	D3	D4	D5
E	A	D	C	B

▶ **Page 11** Exercice 4 d

	Relation informelle	Relation formelle
D1	X	
D2	X	
D3		X
D4	X	
D5		X

▶ **Page 11** Exercice 4 f

	Question	Déclaration
1	X	
2		X
3		X
4	X	
5	X	
6		X
7	X	

▶ **Page 12** Exercice 5 c

1. Je ne comprends pas.
2. Je n'entends pas, ça ne marche pas.
3. Comment ça s'écrit ?
4. S'il vous plaît, vous pouvez répéter ?
5. Je peux sortir ?
6. Comment on dit en français ?
7. Vous pouvez épeler ?
8. Qu'est-ce que ça veut dire ?
9. Comment ça se prononce ?
10. Vous pouvez parler plus lentement ?
11. Vous pouvez écrire au tableau ?

▶ **Page 13** Exercice 6 b

Prénom	Il est	Elle est	Il/elle parle
Tatiana		russe	le russe
Ana		chilienne	l'espagnol
Nick	américain		l'anglais
Milena		suédoise	le suédois
Hao	chinois		le chinois
Steve	australien		l'anglais
Cristina		espagnole	l'espagnol
Frida		mexicaine	l'espagnol
Javier	espagnol		l'espagnol
Yves	belge		le français et le flamand

▶ **Page 14** Exercice 9 a

lundi – mardi – mercredi – jeudi – vendredi – samedi – dimanche

▶ **Page 15** Exercice 11 b

1. Marie – 2. Pierre – 3. Andrée – 4. Pascal – 5. Dominique – 6. Martine – 7. Florent – 8. César – 9. Clara – 10. Maud

Unité 2 À la découverte **des rues**

▶ **Page 23** Exercice 1 c

1. C un facteur
2. A un café
3. E un tram
4. B un marché
5. I la fermeture d'un magasin
6. G un interphone
7. F un camion-poubelle
8. D un parc
9. H la circulation

▶ **Page 24** Exercice 2 b

Photo 1 : des voitures, des feux, des passages piétons, des pistes cyclables, des arbres. Pas de tram, pas de vélo…
Photo 2 : des arbres, pas d'abribus
Photo 3 : des arbres, pas de piste cyclable, pas de passage piéton
Photo 4 : des commerces, des passages piétons, pas de bus

▶ **Page 25** Exercice 3 a

	question sur l'adresse	où ?	adresse
1	Tu habites où ?	à côté de la place de la Nation	28 rue de la République
2	Et votre adresse ?	dans la résidence universitaire	12 rue d'Italie
3	C'est à quelle adresse ? À quelle adresse ?	à côté, pas loin du cinéma	28 rue de la Liberté

▶ **Page 25** Exercice 3 b

J'habite place Garibaldi – Il habite à la cité universitaire – Tu habites (à) Paris – Vous habitez loin ? – Carlo habite au /le centre ville – Tu habites rue Pasteur – Le professeur habite place de la Comédie – Léo habite près de la gare

▶ **Page 25** Exercice 4 c

Le professeur téléphone à un ami.
Le professeur écrit à Pierre.
Le professeur explique aux élèves.

▶ **Page 25** Exercice 5 b

Elle dit : 04 42 61 37 16
Il entend : 04 52 61
04 42 61 37 13

▶ **Page 26** Exercice 6 b

la voiture – l'avenue – l'immeuble – le trottoir – le bus – la rue animée – le carrefour bruyant – des pistes cyclables – les grands arbres – les feux – les ronds-points

▶ **Page 26** Exercice 6 c

• un / une / des : éléments inconnus, nouveaux.
• le/ la / les : éléments connus.

▶ **Page 27** Exercice 6 d

c'est	il y a
un parc	des arbres, des fleurs, des enfants, des jeux
une rue piétonne	des piétons, des magasins, pas de voitures, pas de bus
une université	des étudiants, des professeurs, des salles de cours, des bureaux, une cafétéria

▶ **Page 27** Exercice 6 e

n°	avantages	inconvénients
1	– le métro les magasins, l'opéra, les musées. – pas de circulation.	– bruyant le soir, le week-end
2	– pas loin de l'université – un grand parc à côté	– zone de supermarchés – des voitures – pas un café, pas animé
3	– les supermarchés, un stade de foot, les écoles	– pas beau, des grands immeubles – pas de bus le soir

▶ **Page 28** Exercice 9 a
1F – 2C – 3B – 4E – 5A – 6H – 7I – 8G – 9D

▶ **Page 29** Exercice 9 b
station / métro – arrêt / bus – parking / voiture ou moto – aéroport / avion.

▶ **Page 29** Exercice 10 d

adresse	il aime ?	pourquoi ?
23 avenue des Frères Lumière	oui	– vieille dame sympathique
9 avenue des Frères Lumière	oui et non	– un café sympa – bruyant – beaucoup de voitures
la place Ambroise Courtois	oui	– animé – un marché
17 rue Villon	non	– un gros chien

▶ **Page 33** Exercice 13
Photo 1 Vrai : l'homme et le vélo, la boîte aux lettres jaune
Faux : l'homme à droite, la boutique rouge, le chien
Photo 2 Vrai : la boutique et les fenêtres, l'homme en rouge
Faux : l'homme en blanc

Unité **3** À la découverte **des commerces**

▶ **Page 36** Exercice 1 b
1. des boissons/un magasin d'alimentation
2. des livres/une librairie
3. un pain, une baguette/ une boulangerie
4. des cigarettes/un bureau de tabac
5. des enveloppes/un bureau de poste
6. des ordinateurs/un cybercafé
7. des billets/une banque
8. des médicaments/une pharmacie

▶ **Page 37** Exercice 1 c
1. un bureau de tabac/un bureau de poste – 2. une boulangerie – 3. une pharmacie – 4. une banque – 5. un bureau de tabac/un magasin d'alimentation – 6. une librairie

▶ **Page 38** Exercice 2 b

Où sont-ils ?	Qu'est-ce qu'ils prennent ?	Quelle quantité ?
Au restaurant	du vin de l'eau du pain	un verre une carafe une corbeille
Au supermarché	des pommes du raisin blanc du lait du jambon du beurre de la confiture de fraises	1 kilo 500 grammes 1 litre 4 tranches une plaque un pot

▶ **Page 38** Exercice 2 c
1. C – 2. E– 3. G – 4. A – 5. B – 6. D

▶ **Page 39** Exercice 3 d

	Quoi ?	Quelle quantité ?
2	des légumes	assez de légumes
3	de l'eau	beaucoup d'eau
4	du vin	un peu de vin
5	de la viande	pas de viande

▶ **Page 40** Exercice 4 a
1. C'est l'heure de la fermeture.
2. Le client ne donne pas assez.
3. La cliente n'a pas d'ordonnance d'un médecin.
4. Il est interdit de fumer.
5. Il n'y a plus de place.
6. La banque ferme à 16 h 30.

▶ **Page 40** Exercice 4 b
A5 – B4 – C2 – D1 – E3

▶ **Page 42** Exercice 6 b
1. Je dois partir, je suis en retard.
2. Il ne veut pas boire d'alcool, il conduit.
3. Elles ne peuvent pas venir, elles sont en vacances à l'étranger.
4. Tu ne peux pas dormir, tu n'as pas sommeil.
5. Vous voulez manger, vous avez faim.

6. On va au marché, on doit faire les courses.
7. Je ne peux pas manger de viande, je suis végétarien.

▶ **Page 43** Exercice 7 b

	masculin	féminin
singulier	ce portable ce prix cet automne cet écran	cette imprimante cette offre
pluriel	ces magasins ces prix	ces offres ces imprimantes

▶ **Page 43** Exercice 7 d
1. cette – 2. cet – 3. ces – 4. cet – 5. ces – 6. cette

▶ **Page 46** Exercice 9 a
1. vrai – 2. vrai - 3. faux – 4. vrai – 5. faux – 6. vrai – 7. faux – 8. faux

▶ **Page 46** Exercice 9 b
L'étiquette Max Havelaar sert à défendre un commerce équitable.

▶ **Page 47** Exercice 10 b
A3 – B2 – C1

▶ **Page 49** Exercice c 4
On boit du lait, du café, du cacao sucré.
On mange du pain beurré.

Unité **4** À la découverte **de la vie quotidienne**

▶ **Page 52** Exercice 2 a
7h
7h30 Il se lève.
8h
8h30 Il commence son travail.
9h 30 Il rentre à la maison.
10h
11h Il reste à la maison.
12h Il déjeune avec sa femme.
13h Il reprend son travail.
14h
15h Il finit son travail.
16h Il reste à la maison.
17h Il reprend son travail.
18h Il finit son travail.
19h

▶ **Page 52** Exercice 2 b
Groupe B - Semestre 1

Lundi	Mardi	Mercredi	Vendredi
9 h 45-11 h 15 Expression écrite	8 h 30-10 h 30 Civilisation	9 h 30-11 h 30 Compréhension de l'oral	8 h-9 h 30 Option « Francophonie »
11 h 30-13 h Expression orale	13 h 15-14 h 45 Grammaire	13 h-14 h 30 Expression orale	9 h 45-11 h 15 Lecture de presse
13 h 15-14 h 45 Grammaire	15 h-16 h 30 Vocabulaire	15-17 h 30 Multimédia	11 h 30-13 h Compréhension de l'oral/ Expression orale
16 h 30-18 h Option « Cinéma »	17 h-18 h 30 Option « Français de l'entreprise »		14 h 15-15 h 45 Expression écrite

▶ **Page 52** Exercice 2 c
Groupe B - Semestre 2

Lundi	Mardi	Jeudi	Vendredi
9 h 45-11 h 15 Expression écrite	8 h 30-11 h Multimédia	9 h-11 h Compréhension de l'oral	8 h 30-10 h 30 Civilisation
11 h 30-13 h Expression orale	13 h 15-14 h 45 Grammaire	11 h 30-13 h Expression orale	9 h 45-11 h 15 Lecture de presse
13 h 15-14 h 45 Grammaire	15 h-16 h 30 Vocabulaire	15 h-16 h 30 Option « Français de l'entreprise »	11 h 30-13 h Compréhension de l'oral/ expression orale
16 h 30-18 h Option « Cinéma »	17 h-18 h 30 Option « Francophonie »		14 h 15-15 h 45 Expression écrite

▶ **Page 53** Exercice 3 a
- La destination d'Anne ? → Montpellier
- La raison de son voyage ? → Réunion de travail
- Le nombre de jours ? → Une journée
- L'heure de départ de Toulouse et l'heure d'arrivée à Montpellier ?
  → 6 h 40/9 h 30
- L'heure de départ de Montpellier et l'heure d'arrivée à Toulouse ?
  → 18 h 20/20 h 35

▶ **Page 53** Exercice 3 b

Anne utilise la forme familière	Bernard utilise la forme officielle
	7 h
6 h et demie/7 heures	18 h 30
8 h et quart	8 h 15/10 h 30
9 h et demie/10 h et demie/10 h	6 h 40/9 h 30
6 h 20	18 h 20/21 h
8 h et demie	20 h 35

▶ **Page 54** Exercice 4 b

Logement	Où ?	Seule ? Avec qui ?
2. plus petit appartement	quartier animé – 4e arrondissement	avec Thomas
3. petit studio	quartier chinois	seule
4. superbe appartement	quartier chinois	seule
5. appartement d'Olivier		avec Olivier
6. très grand appartement	à côté d'un parc 3e arrondissement	avec Olivier
7. à la campagne	grande maison	avec Olivier

▶ **Page 54** Exercice 4 c
1er **élément** : verbe avoir au présent
2e **élément** : un participe passé en -é : déménagé

▶ **Page 54** Exercice 4 d
1. Nous avons changé de logement. 2. Ils ont déménagé. 3. Tu as visité des appartements. 4.Vous avez changé d'adresse. 5. J'ai parlé à la secrétaire. 6. Elles ont regardé la télé. 7. J'ai partagé un appartement. 8. On a déménagé.

▶ **Page 55** Exercice 4 e
1. J'ai voulu aller à la mer. 2. Il a pris le bus. 3. Il a vendu des vêtements. 4. Tu as lu un magazine 5. Vous avez compris ?

▶ **Page 55** Exercice 5 d
sdb. = salle de bain part. = particulier
ch. = chambre fac. = faculté
cuis. = cuisine ds. = dans
ptite. = petite rés. = résidence
tél. = téléphone pr. = pour
tv. = télévision cc. = charges comprises

▶ **Page 56** Exercice 6 b
Petite annonce de vente d'objets / un étudiant

▶ **Page 56** Exercice 7

	1	2	3	4	5	6	7	8	9	10
[õ]			X	X	X				X	X
[ã]	X		X			X	X		X	
[ɛ]		XX		X			X	X		

▶ **Page 57** Exercice 9 a
1. On la voit, on la veut, on l'achète : la, l' = la moto
2. On les met quand il y a beaucoup de soleil. : les lunettes
3. On le prend quand il pleut : le parapluie, le bus

▶ **Page 57** Exercice 9 b
– Il l'aime, il l'achète, il le boit : le coca, le jus d'orange, l'apéritif
– Il l'aime, il l'achète, il la boit : l'eau minérale, la bière, la limonade

▶ **Page 58** Exercice 11 b

	Possible	Impossible
1		X
2	X	
3		X
4	X	

▶ **Page 59** Exercice 12 a

	Dialogue 1	Dialogue 2
Raison de la visite chez le médecin	Visite de contrôle	Mal à la gorge
Le rendez-vous est-il urgent ou non ?	Non	Oui
Qui propose le moment du rendez-vous ?	La secrétaire	La secrétaire
La proposition de rendez-vous est-elle acceptée immédiatement ?	Oui	Non, le patient a mal. Il veut un rendez-vous plus tôt.
Identité du patient : quelles informations demande la secrétaire ?	Nom, prénom, téléphone	Nom

▶ **Page 59** Exercice 12 b
– La phrase de la secrétaire pour prendre contact :
1. Cabinet du docteur Riboud. **2.** Cabinet du Dr Falber.
– La phrase du patient pour demander le rendez-vous :
1. Bonjour. J'appelle pour un RDV. **2.** Je voudrais voir le Dr Falber.
– La phrase du patient pour accepter le rendez-vous :
1. Très bien. **2.** D'accord. Merci beaucoup.
– La phrase de la secrétaire pour demander l'identité :
1. Vous êtes Madame ? **2.** Votre nom s'il vous plaît ?

Unité **5** À la découverte **des loisirs**

▶ **Page 65** Exercice 1 b

Étapes	Photo	Informations
1.	E	Bar – restaurant – danse
2.	D	Les demoiselles de Rochefort
3.	C	Pour aller au cinéma
4.	B	Au musée des Beaux-Arts
5.	F	Ils regardent les livres des bouquinistes
6.	A	Opéra de Wagner Lohengrin

▶ **Page 66** Exercice 2
Je suis entré, je suis allé, je me suis trompé, le train est passé mais ne s'est pas arrêté, je suis resté, je suis descendu, je suis monté, il est parti, tu es enfin arrivé.
Quand est mort François Mitterrand, il est né.

▶ **Page 66** Exercice 3 b
Lui : jeux sur ordinateur, piscine
Elle : gymnastique dans un club, lecture
Eux : balades en moto, cinéma

▶ **Page 67** Exercice 3 c
Faire du/jouer au : badmington, tennis, volley, bowling, ping-pong
Faire du : kayak, parapente, kung-fu, saut en hauteur, ski
Faire de la course à pied

▶ **Page 68** Exercice 4 b
Positif : Ah oui, j'aime beaucoup – Magnifique ! Incroyable ! – Superbe ! – Ah, moi j'adore cette région.
Neutre : Mouais, c'est pas mal. – Pff, comme ça… – Hmm, plus ou moins, ça dépend.
Négatif : C'est un peu bizarre. – C'est nul.

▶ **Page 69** Exercice 6 b
Exemples : Le métro est plus rapide et moins polluant que la voiture.
La voiture est plus confortable mais plus chère que le métro.

▶ **Page 70** Exercice 7

Questions spontanées	Questions écrites
2. Vous partez quand ?	Quand partez-vous ?
3. Vous parlez quelles langues ?	Quelles langues parlez-vous ?
4. Le cours commence à quelle heure ?	À quelle heure commence le cours ?
5. Vous avez des enfants ?	Avez-vous des enfants ?
6. Vous voyagez comment ?	Comment voyagez-vous ?

► **Page 70** Exercice 8 a
2. va fermer
3. ils vont bientôt rentrer
4. ça va être joli
5. tu vas tomber
6. vous allez faire, on va rester

► **Page 70** Exercice 9 a

	1	2	3	4	5	6	7	8	9	10	11	12
[y]	X		X	X		X		X	X			X
[u]		X			X		X			X	X	

► **Page 71** Exercice 10

1	2	3	4	5	6
6	4	5	2	3	5

1 avec 6 = Nombre de personnes, dates et destinations.
2 avec 4 = Pour deux personnes, Pyrénées et Paris.
3 avec 5 = Famille, même destination.

► **Page 71** Exercice 11 b

Nom	Ils aiment/ils n'aiment pas ?		Pourquoi ?	
	+	−	+	−
Tartinette	+		place illuminée sublime/signe astrologique sympathique/bars, commerces à proximité/jardin adorable	
Cinécinoche		−	bâtiments magnifiques	pas d'arbres/ seulement des pierres/manque de chaleur, de fantaisie
Anakin 1	+		beaucoup de rencontres, de passages/belle croix catalane/éclairage magnifique	
Josebove	+		superbe	Mac Do

► **Page 73** Exercice 13 a
– Un peu spéciale/original
– Dans le magasin de Laurent, on peut acheter des livres (librairie) et manger (restaurant)
– Avec le vélo'v, Arturo va à l'université = faux/Arturo visite la ville = vrai

► **Page 74** Exercice 14
Photo 1 : le roller tout terrain – **photo 2** : le kite-surf– **photo 3** : les raids – **photo 4** : le saut à l'élastique.

► **Page 75** Exercice 15 b
Philippe : découvrir une nouvelle pièce
Jeanne : faire des rencontres, partager sa passion
Marie : histoire de la vie de la famille

► **Page 77** Exercice c
Instruments de musique : guitare/piano/accordéon/contrebasse- contre-bassine

► **Page 77** Exercice d
Loisirs : Bernard/jogging, Brigitte/claquettes, Kévin/Play station, Cyndie/ embrasse un garçon, Bernard et Brigitte/visite chez Henri et Sophie et promenade, Bernard et Kévin/pêche à la ligne et Play station.

Unité **6** À la découverte **des fêtes**

► **Page 79** Exercice 1 c
A10 – B5 – C1 – D9 – E8 – F4 – G7 – H6 – I3 – J2

► **Page 79** Exercice 1 d
La fête du beaujolais et le premier avril.

► **Page 80** Exercice 2 b

Verbe	Présent	Imparfait
boire	je bois nous buvons ils boivent	je buvais nous buvions ils buvaient
venir	je viens nous venons ils viennent	je venais nous venions ils venaient
faire	je fais nous faisons ils font	je faisais nous faisions ils faisaient

► **Page 80** Exercice 2 c
1. je posais – je me couchais – Saint Nicolas venait – il apportait – les enfants ne recevaient pas
2. on allumait – le chandelier était – on mangeait – on jouait – on recevait

► **Page 81** Exercice 4

	Il/elle offre un cadeau	Il/elle reçoit un cadeau
2	X	
3	X	
4		X
5	X	
6		X
7	X	
8	X	
9		X
10		X

► **Page 82** Exercice 5 b
1e – 2b – 3c – 4g – 5f – 6d – 7a

► **Page 82** Exercice 5 c

Image	a	b	c	d	e	f	g
Situation	6	2	5	7	1	3	4

► **Page 83** Exercice 6 a
1. Aux enfants
2. À son amoureux, à son mari, à son amoureuse, à sa femme

► **Page 83** Exercice 6 c

	verbe + à quelqu'un	verbe + quelque chose à quelqu'un
3		X
4		X
5	X	
6		X
7		X
8	X	

► **Page 83** Exercice 6 d
1. leur – 2. lui – 3. me – 4. nous – 5. vous/t' – 6. lui – 7. leur

► **Page 84** Exercice 7 a

	2	3	4	5	6	7	8	9	10
S			X	X			X		X
Z	X	X			X	X		X	

► **Page 84** Exercice 7 b
1. Vous_aimez faire la fête ? → Z
2. Nous salons beaucoup nos plats. → S
3. Ils_offrent un verre à leur ami. → Z
4. Elles sont amies. → S
5. Ils s'aiment. → S
6. Vous savez jouer de la guitare ? → S
7. Elles_ont des amis. → Z

► **Page 87** Exercice 10 c
Connaître de nouvelles recettes, prendre le temps de parler avec ses voisins, trouver quelqu'un avec qui courir.

▶ **Page 88** Exercice 11 b

Fête	Où ?	Quand ?	Quoi ?
Le carnaval de Binche	À Binche en Belgique	En février, 3 jours avant le mercredi des cendres	Se déguiser en Gille
L'Aïd el Kebir	Dans les pays musulmans	À la fin du 12e mois lunaire	Sacrifier un mouton
L'Escalade	À Genève, en Suisse	Le week-end le plus proche de la nuit du 11 au 12 décembre	Ouvrir et casser des marmites en chocolat

▶ **Page 89** Exercice 12

Fête	Quand ?	Depuis quand ?	Quoi ?
La fête de la musique	Le 21 juin	1982	Une manifestation populaire et gratuite, des milliers de musiciens amateurs et professionnels, des millions de spectateurs dans de nombreux pays
La fête du cinéma	Après le début de l'été Pendant 3 jours du dimanche au mardi	1984	Voir les films à un tarif exceptionnel :1 place plein tarif pour le premier film, toutes les autres séances pour 2 euros
Les journées du patrimoine	Le 3e week-end de septembre	1984	Visiter des bâtiments publics et privés qui ouvrent exceptionnellement leurs portes

▶ **Page 89** Exercice 13 b
une bouillabaisse – une choucroute – du pastis – des cuisses de grenouille – un reblochon – une tarte tatin

▶ **Page 91** Exercice c
amis – soleil – folie – vin – fleurs – jouent – rigolent – boire – danser – paradis – liberté

Bilan 1

▶ **Compréhension de l'oral**

Situations	Dialogues
a. La personne salue.	N°2
b. La personne se présente.	N°4
c. La personne présente quelqu'un.	N°5
d. La personne demande à quelqu'un de se présenter.	N°3
e. La personne dit ses goûts.	N°1

▶ **Compréhension de l'écrit**
– Bonjour, Mademoiselle. Votre nom et votre nationalité, s'il vous plaît.
– Je m'appelle Rita Micheloto, je suis italienne.
– Vous êtes étudiante ?
– J'étudie le français.
– Vous êtes mariée ?
– Je suis célibataire.
– Vous avez une adresse e-mail ?
– Ritam. R-I-T-A-M@ yahoo.fr
– Vous avez un animal ?
– J'ai deux chiens.

Bilan 2

▶ **Compréhension de l'oral**
Noémie est blonde avec une petite jupe rouge.

▶ **Compréhension de l'écrit**
1.C'est la fête de la musique.
2.1. Il y a plus de bus, de métros et de tramways.
2. Deux lignes Pleine Lune fonctionnent de 1 h à 4 h.
3. le ticket TCL EN FÊTE est à 2,10 euros.

Bilan 3

▶ **Compréhension de l'oral**

▶ **Compréhension de l'écrit**
1. Couper le jambon en petits morceaux.
2. Battre les œufs avec le lait.
3. Faire chauffer une poêle avec l'huile et le beurre.
4. Verser les œufs.
5. Laisser dorer le dessous de l'omelette.
6. Verser les morceaux de jambon sur une moitié de l'omelette.
7. Replier l'autre moitié.
8. Mettre dans un plat.

Bilan 4

▶ **Compréhension de l'oral**
Dates de la promotion : du 30 août au 25 septembre
Nom du magasin : Maison Plus

Nom et description des objets	Prix ordinaire	Prix promo
1. Bureau en bois	60 €	45 €
2. Chaise de bureau	49 €	39 €
3. Lampe de bureau	22 €	14,50 €
4. 6 assiettes blanches		3 €

Bilan 5

▶ **Compréhension de l'oral**
Pour visiter la ville, la formule city card est très pratique. C'est une carte qui permet d'entrer librement dans les musées, les expositions. On peut la prendre pour un jour, deux jours ou trois jours. Pour une journée, c'est 18 euros.
L'office du tourisme propose une autre formule : le week-end découverte avec la city card, l'hôtel et un repas dans restaurant typique.

▶ **Compréhension de l'écrit**
Les couleurs des vacances
Les lieux et les moments de vacances sont de plus en plus diversifiés.
À chaque lieu, sa couleur …
Le tourisme vert est motivé par la recherche de la nature et du calme.
Le tourisme bleu est orienté vers la mer, les lacs, les rivières.
Le tourisme blanc conduit vers les montagnes et la neige en hiver, parfois aussi en été.
Le tourisme gris propose au voyageur les visites culturelles dans les villes.
Le tourisme jaune conduit le voyageur dans les sables du désert.
Enfin le tourisme multicolore, avec les circuits, mélange les couleurs : un peu de nature, un peu d'eau, un peu de ville… pour tous les goûts.

Bilan 6 Vers le DELF A1

▶ **Compréhension de l'oral**

Dates	Événements
– 2 septembre 1939	– naissance
– 1963-1977	– directeur du Festival international du théâtre à Nancy
– 1981-1986	– ministre de la culture
– 1982	– création de la fête de la musique
– 1986-1988	– professeur de droit international

▶ **Compréhension de l'écrit**
1 c – 2 f – 3 a – 4 b – 5 e – 6 d

Tableau des contenus

Unités	Communication orale/écrite	Outils Linguistiques			Cultures
		Grammaire	**Vocabulaire**	**Phonétique/ graphie**	
À la découverte **de la France et de la francophonie** Page 6					■ Les symboles de la France ■ Les nationalités et les origines
Unité **1** À la découverte **de la classe** Page 8	■ Épeler ■ Dire son prénom ■ Se saluer ■ Se présenter ■ S'excuser/remercier ■ Présenter sa famille ■ Dire ses goûts	■ Le masculin et le féminin ■ *Quel(s)/quelle(s)* ■ *Être/avoir* ■ *S'appeler* ■ Les verbes à un radical ■ Le présent ■ La négation ■ L'affirmation ■ L'interrogation	■ Les nationalités ■ Les mots de la classe ■ Les jours de la semaine ■ Les chiffres (de 0 à 16) ■ La famille ■ Les mots transparents	■ L'alphabet ■ Le rythme et l'intonation	■ La France et la francophonie ■ Les prénoms français ■ Les rituels de salutations (carte des bises) ■ Les symboles ■ *Tu* ou *vous*
Unité **2** À la découverte **de la rue** Page 22	■ Observer et décrire la rue ■ Parler de son adresse ■ Parler de ses coordonnées ■ Parler de son quartier ■ Décrire les gens ■ Décrire un itinéraire ■ Demander son chemin	■ Les prépositions de lieu ■ La préposition *à + le* ■ Les articles définis et indéfinis ■ *C'est/il y a* ■ Les adjectifs possessifs ■ *Habiter/prendre/ monter/descendre/aller*	■ Les éléments de la rue ■ Les chiffres (de 17 à 60) ■ Les vêtements ■ Les couleurs ■ Les transports	■ Les liaisons (1) ■ Les élisions	■ Les noms des rues ■ Les murs peints
Unité **3** À la découverte **des commerces** Page 36	■ Exprimer la quantité ■ Accepter/refuser ■ Demander/donner le prix ■ Commander ■ Protester ■ S'excuser	■ *Acheter/boire/Vendre* ■ *Il faut* + infinitif ■ La quantité ■ Les adjectifs démonstratifs ■ *Pouvoir/devoir/vouloir* ■ *Faire*	■ Les formules de politesse ■ Les commerces ■ L'alimentation ■ Les chiffres (de 70 à 1000) ■ Les moyens de paiement	■ L'enchaînement vocalique et consonantique ■ Les liaisons (2)	■ Les horaires et les prix ■ Les recettes de cuisine ■ Les équilibres alimentaires ■ Manger bio ■ Le commerce équitable ■ Les goûts/les allergies